伊豆の岬に白い花の咲くとき

目次

《四月九日・土曜日》　難破船

やはり海は空を映して青く穏やかな方が良い。

どんよりと鉛色に沈んでうねりがあると、すべての幸せを飲み込んで、腹ごなしをしているように見える。


真っ青な空の下に、白い砂浜が遠い岬に向かって延びている。

南伊豆の浜辺はすでに春の暖かさだが、民家から少し離れたこの浜はまだ人影も少なく、長い冬の眠りから十分に覚めきっていない。

先ほどから花城咲紀は砂地に足跡を刻みながら、ひとりとぼとぼと歩き続けている。髪をテールに束ねジーンズに明るいブルーのシャツ、ピンクのカーディガン。四月七日生まれで満十八歳になってまだ二日しか経っていない。

ゆったりと寄せては返す波打ち際に沿って三十分は歩いただろうか。

咲紀は岬の崖下に打ち上げられた木造の難破船の前で立ち止まった。

もう何十年も潮風と太陽に晒されていたのだろう、船骨が露わになり、船底は殆ど砂に埋まっている。

咲紀は難破船を一回りして、船体の裂け目から中へ入った。そして、吹き溜まりの砂の上に身体を投げだし、真っ青な空を見上げた。

こぼれ落ちる太陽の光が身体を温め、空に向かって突き出した船骨が仁王立ちするように咲紀を見下ろしている。

朽ち果てたこの木も、かつては青々とした葉を繁らせ、何処かの森の奥で空に向かって堂々とそびえ立っていたはずだ。何時か山の男達がやって来て、切り倒され、運ばれ、削られて船体となった。そして海の男達を乗せ、怒濤を歌声に勇姿を誇っていたが、ある日、荒れ狂う波に自由をもぎ取られ、真っ暗なこの浜に叩きつけられた。灯台の光すら見ることも出来ず、海の男たちはか弱い子猫のように、打ち震えながら神に命乞いをしたに違いない。広い海に向かって崖は無言に立ちつくし、その下で雨に、風に、波に、太陽に晒されて今日という日がやって来た。

そして今、船底に身体を投げだした一人の少女が遠い過去を想い出している。

——果たして、過去とは、記憶とは、何だろう。

咲紀は青空に浮かぶ記憶のページをめくってみる。

何故か忌まわしい過去だけが群れをなして通り過ぎていく。賑やかな神田の問屋街を毎日往復して学校へ通った日。出生の秘密を知り家を飛び出してさ迷った日。そして人生を揺るがす驚愕(きょうがく)の出来事が起きたあの日。残されているのは記憶だけで、何の形跡もない。実際にあったことかも知れないし、夢だったのかも知れない。確かなのは、今自分が人影一つ見えない崖下の難破船の中に体を投げて、ぼんやり時の流れを見送っていることだけだ。次に自分が何処に存在し、何が起きるのか、何一つとして手掛かりになるものはない。自分はここにいて、友人の良子はきっと大学の冷たい椅子に座っているだろう。祖母は自分を捜して泣き疲れ、怒りの向け処もなく放心しているに違いない。

自分の知らない遠い空の下で、それぞれの世界が生まれては消えている。


咲紀はここへ来る途中、浜辺の土手に咲く五、六本のマーガレットの花を摘んできた。綺麗だと思った訳ではなかった。誰に見られる事もなく、潮風に耐えながら、ひっそりと咲いている小さく白い花が哀れに見えたからだ。

咲紀は思い出したようにマーガレットの花を自分の周りの砂地に突き刺し、残りの一本を手に取り、花占いを始めた。

「生きたい、死にたい、……生きたい、死にたい、……生きたい、死にたい、……」

沈んだ声に、冷めた指が花びらを抜いていく。

最後に残ったのは「死にたい」だった。


そうだ、この大自然の中で永遠の眠りにつくのもいい。誰も知らないこの船陰で、一人の名もない少女の肉体が活動を停止する。考えることも動くことも。それが実行されたとして、今の世の中の何が変わる訳でもない。友人の良子は相変わらず大学に通い、祖母もいつか自分のことを忘れ、部屋の窓から見えた表のネオンも何時もと変わらず点滅を繰り返すだろう。雨が降り太陽が照り、風が吹いて、動きを止めた肉体は晒され白骨となって、今自分が横たわったままの格好で発見される。この難破船の残骸と同じように……。
　咲紀は砂地に刺した花を再び集め、総ての花びらをもぎ取って空へ向かって投げた。無数の白い花びらが船体の裂け目から吹き込んだ風に煽(あお)られ、くるくると青空に舞い上がって行く。

　そもそも咲紀がこの海岸にやって来たのもさしたる理由はなかった。今朝起きたとき堪らなく切なくて、ふらりと家を出て駅に着き、何気なく目にした『石廊崎(いろうざき)』の文字に惹かれて、電車に乗ってしまっただけのことである。そして電車の窓に流れる十八年の過去をぼんやり眺めているうちに下田に着き、石廊崎行きのバスに乗り換えた。途中白い砂浜を何度か見かけたが、出来るだけ寂しげな海辺を選んでバスを降りた。そして人影のない砂浜を歩きながら、自分でありながら自分でないような不確かな感覚に囚われていた。

　潮騒の音に混じってカラスの鳴き騒ぐ声が聴こえた。急に不安に襲われ咲紀が起き上がろうとしたとき、難破船の破け目から一人の男がヌーッと入ってきた。眩しい太陽の光を背にした黒い影が一歩一歩近づいてくる。だが咲紀の体は船底に張り付いて動くことが出来ない。黒い影は咲紀の体に覆い被さり、首筋に手をまわし喉を絞め始める。
「助けてーッ！」

咲紀は叫んで我に返った。

朽ちた船体の舳先で、白いカラスの群れが羽ばたき飛び上がった。

ほんの僅かな時間、まどろんだようだ。

——わたしは今どこに居るのだろう。何をしようとしているのだろう。


日射しに温められ、弛緩してしまった肉体が微かに脈打っている。咲紀は自分の胸のふくらみを抱きしめ、存在を確かめてみる。

遠かった波の音が近くに寄せて、光もまた咲紀の瞳孔を通して青い空と白い雲を映し始めた。咲紀はゆっくりと立ち上がり外へ出た。

誰もいない。

咲紀はしばらく立ったまま自分の行くべき方向を探した。

前に進めば白い波が待っている。

右へ行けば、切り立つ断崖である。

背後には村へ続く崩れかけた土手があり、
左には歩いて来た白い砂浜が遠くまで続いている。

近くの松の上でカラスが啼いた。咲紀はその哀しく不吉な声を振り切るように、もと来た砂浜へ向かって歩き始めた。

遠くの渚で、傾いた夕陽を浴びて子供と犬が戯れている。

犬は既に咲紀を嗅ぎ取っているらしく、こちらに向かって走ってくる。子供が必死にその後を追う。犬は寄せては返す波に戯れ、走っては後ろを振り向き、戻っては子供に飛びつきじゃれてまた走る。都会では犬も鎖に繋がれている。だが、ここでは太陽の光を全身に浴び、思い切り伸び伸びと走り回ることが出来る。子供は飼い主ではなく遊び友だちなのだ。

咲紀は靴を脱いで裸足になった。

ひんやりとした砂の感触が伝わって来る。素足は窮屈な靴とコンクリートの固い感触しか知らない。靴をぶら下げ波打ち際に沿って一歩一歩ゆっくりと、砂地の感触を確かめながら歩いた。

波打ち際でプラスチックの容器が波に転がされている。その数メートル先に黒い物体が横たわっていた。それは不様（ぶざま）に膨れ上がり、波に洗われる犬の死体だった。

咲紀は表情も変えず凝視した。つい数日前まで呼吸し元気に走り回っていたに違いない。人間に虐待され捨てられてこの浜に流れ着いたのだろう。やがて死体は腐り、波に洗われ、分解して粒子となって大自然の中に散って行く。その後には何事もなかったように真っ白に晒された美しい砂が太陽の光に輝くだろう。だが、人間が創り出したプラスチックの容器は腐り分解することもなく永遠に残るのだ。

歩いているうちに心の奥から悲しみが押し寄せ、体全体を激しく揺さぶった。咲紀の瞳から大粒の涙が落ちた。こらえきれずしゃがみ込んだ目の前に少年が立っていた。息を弾ませながら少年の瞳が心の中を覗いている。

「しんいちーッ！　帰るよ！」

遠くで母親らしい女の声がした。

咲紀はゆっくりと立ち上がった。

「しんいちーッ！　早く戻っといで！　置いていくよー」

再び声がした。

咲紀は涙を隠すように、少年の方に向いて微笑みを浮かべ「ほら、お母さんが呼んでいるよ」と目で合図をした。

少年の怪訝（けげん）そうな瞳が笑った。

少年は振り返りながら母の声の方へ駈けて行った。

咲紀は砂の感触を確かめながら歩き続けた。

太陽は既に岬の上に傾いている。

――どうしよう……どうしたらいい……誰か、逢いたい……。

遠くにぽつんと人影が見えた。

その人影は咲紀が近づいても、染まり行く海と太陽に向かったまま微動だにしない。四、五十歳位だろうか。細身で背が高く、長い髪が潮風に揺れている。寂しげに、ちょっぴり丸めた背中が父のそれと良く似ている。咲紀はその背後を歩きながら、「お父さん」と心の中で呼んでみた。聞こえたのだろうか、男は我に返ったように振り向いた。

「……こんにちは」

咲紀は戸惑いながら声を掛けた。男の顔にも微笑みが浮かんだ。

「やぁ、こんにちは。……」

高校の憧れていた英語の先生みたいだと咲紀は思った。

「ずーっと向こうから歩いてきたんです」

「そう、少しも気がつかなかった」

「その間、おじさま、一度も動かなかった。……彫刻が立っているのかな、なんて……」

深津亮介は面白い少女だと思った。

「彫刻か……、そんなに動かなかったかなぁ」

咲紀は不思議と特別な警戒心も湧かなかった。

「おじさま何を考えていらっしゃったの？」

「え？……」

「私ね、いつ動くのかな、って見ていたの」

「そうか……実は君が声を掛けるまで僕はここに居なかった」

「……」

「ほら、あの雲。あの雲に向かって歩いていたんだ。……あと一歩のところで、君に呼び止められた」

「あら、ごめんなさい」

咲紀は、水平線の雲を見ながら、申し訳なさそうにフフフと笑った。

「子供っぽいかな」

「いいえ、素敵だわ。東京ではそんなこと考えたりしないもの」

「そうかな……君も東京から？」

「そう」

「ひとり？」咲紀はこくりと頷いた。

「おじさまは？」

「同じ。……」

「どうして、雲に向かって歩いていたの？」

「さあ……どうしてだか……僕にもよく分からない……」

亮介は考える風に遠くの雲を見やりながら少年のような顔をした。

「僕の田舎は天草でね……知ってる？」

「ええ知ってるわ、天草四郎の島でしょう」

「そう」

「行ってみたいな。美しい島でしょう。……天草四郎は海の上を歩いたって本当?」

亮介は微笑んで咲紀の顔を見た。

「そんなこと知ってるんだ。本当だよ。今だって天草に生まれた者はみんな歩いてるよ」

「えっ、ほんとう!」

「本当さ、君だって歩ける」

「うっそ!」

「嘘じゃないよ。それにはコツがあるんだ」

「コツ?」

「そう、昔から天草に伝わる秘術でね」

「ヒジュツ? ねぇどんなの? 私にもぜひ教えて下さい」

「それは無理だ。天草に生まれた者にしか教えてはいけないことになっている」

「え、そんな……。ね、お願い、わたしにだけ教えて」

「教えると僕の命が危ない」

「え!」

咲紀の驚きように亮介は笑いながら、

「ま、いいだろう。どうせ僕は長生きできないんだから君に伝授しよう。特別の特別だからね。じゃ僕の言う通りにしてごらん」

亮介はそう言って咲紀の横に並んだ。

「……君の利き足はどっち？」

「え？　ききあし？」

「そう、右利き、左利きって言うだろう」

「足にもあるの！　考えたこともないわ」

「歩き出すとき、どちらの足から出す？」

「？……み、ぎ……かな？」

咲紀は小首を傾げて考えた。

「じゃ、階段を上る時は？」

「……やっぱり……右、かな……」

「じゃ君は右利きなんだ。これからが肝心なんだ。左足から必ず出すこと」

咲紀は亮介に習って左足を前に出した。

「いいかい、左足を出したら、左足が沈まないうちに右足を出す」

咲紀は言われるままに、慌てて右足を出す。

「次は右足が沈まないうちに左足を出す。……これを素早く繰り返すんだ」

咲紀はつられて足を動かし、声を上げて笑った。

「おじさまも嘘つきね！」

「嘘じゃない。僕は決して嘘だけはつかないよ。だって道理だろう？」

「酷いわ、つられて踊っちゃった」

二人は笑いながら少し土手の方に移動して、砂の上に腰を下ろした。

「で、なんの話だったっけ？」

「天草の話よ」

「そうそう。……中学生の頃、良く一人で島原半島の見える海岸に出ては砂浜に座って、真っ青な空に盛り上がる入道雲を見たもんだった。本当に真っ白でね。もくもくと……まるで生きているようにね。東京であんなに真っ白い雲を一度も見たことがない」

亮介は少年の日を懐かしむように目を細めて沖を眺めた。

「夕陽を浴びて染まる雲はまた特別に美しかった。あの雲の下には素晴らしい世界がある。中学を卒業したら、あの雲の下の新しい街へ行くんだってね。そう思うと何時も希望が湧いてきた。……でも、この年になってもまだあの白い雲には辿り着くことが出来ない」

「おじさま、ロマンチストなのね」

「ロマンチストか……そうだな、何時も足が浮いている……」

亮介は遠くへ視線を投げたまま微笑んだ。

大人のこの人もまだ何かを探しているんだ……咲紀はそう思うと何故かほっとして亮介の視線に倣った。

夕日が岬を赤く染めている。

亮介は立ち上がってズボンの砂を払った。

「……さ、そろそろ帰らなくちゃ。……今日は君に遇えて本当に楽しかった。ありがとう。……君は……まだ、いるの？」

咲紀は問われて返事が出来なかった。

「あまり暗くならないうちにお帰り。……じゃ……さようなら」

「……さようなら……」

咲紀は声にならない言葉を呟き、あっさり去って行く亮介の背中を哀しく見送った。

——さようなら……なんて哀しい言葉だろう。わたしはいったい何処へ帰ればいい……。

夕陽に向かって問いかけてみても答えは返ってこない。

咲紀は砂山の窪みにうずくまったまま、遠い空と海の色が茜色から濃い藍色に変わっていくのを見詰めたままだった。

《四月十日・日曜日》　花冷え

亮介は今日も民宿『白雲荘』の二階の窓からぼんやり外を眺めていた。ここ数日の間、心の中を漠然とした影が行ったり来たりしている。

テーブルには原稿用紙を広げているが、まだ一行の文字も書いていない。奥深い空白がどんな言葉も吸い込んでしまいそうで、亮介の心を迷わせるのである。

亮介は、居たたまれなくなって外へ出た。毎日何度も繰り返しているのに自然に足が浜へと向かってしまう。

宿から浜まで畑と茅の茂る小さな川の畔をぶらぶら歩いて三分はかかる。

おかみの言葉通りに、朝からパラついていた雨は昼を待たずにぴたりと止んだ。雲の切れ間から光が差し、まるでカーテンをめくるように広い海岸いっぱいに溢れていく。本当に春の空は気まぐれだ。

小高い砂丘を越えて渚へ出た。

白い波が力強く太陽に向かって躍っている。

海ほど日によって違った表情を見せるものはない。夕陽が輝いて幻想的な舞台を想わせるかと思えば、高々と波頭を上げて怒り狂う。また今日のように、陰鬱な雲を追いやり急激に優しい表情に変わることもある。

亮介は晴れ行く空を見上げてため息をついた。

もし人間に見えるとしたら、この海と空の間には無数の電波が飛び交っている筈だ。科学の最先端技術によって、細切れになった歌手やタレントが電子の波に乗って移動している。朝の番組開始から放送が終わるまで、電子銃から打ち出される弾は途絶えることはない。

亮介もその銃弾を製造し、ディレクターと名のつく射撃手の一人だった。視聴率という標的を狙って休む間もなく撃ち続けなければならない哀しい兵士。作品の質などそれほど重要ではない。視聴率のとれる作品こそが唯一の優れた作品なのだ。

亮介が企画会議の席上、視聴率だけを追うのは間違っている、もっと社会的に意義のある番組を世に送り出す責任があるのではないか、と発言したとき、ディレクターとしての崩壊が始まった。プロデューサーKとの軋轢は収めようもなく、結局、担当番組をはずされ、局から姿を消して既にひと月が経つ。

*　*　*

亮介が初めて伊豆の吉佐美(きさみ)にやって来たのは、妻の京子と出逢って間もない頃だった。まだ若かった二人は五月の連休を利用して、車で伊豆半島を一周することにした。宿も決めない自由気ままな旅だった。東海岸を南下し、下田を越えたところで迷い込んだのが吉佐美だった。岬と岬の間に広がる美しい砂浜の風景は、亮介に故郷である天草の景色を想い出させた。二人は手をつなぎ、白い砂浜を歩き、波と戯れ、甘美な夜を過ごした。その後、石廊崎(いろうざき)、中木(なかぎ)、子浦(こうら)、伊浜(いはま)と巡ったが、無計画さ故の楽しい出来事は、それぞれの土地と結びついて、忘れることのできない甘い青春の一頁として二人の心に残された。

その旅から既に二十年は経っている。

＊　＊　＊

歩く度に濡れた砂地の表面が崩れて、奥の乾いた砂が軋んだ。吹き溜まりの土手から浜へ下りようとしたとき、近くの窪地に何か動くものが見えた。よく野良犬が塵埃（じんあい）を漁（あさ）っていることがある。だがそれは、踞（うずくま）って震えている咲紀だった。

「どうしたんだい！」

亮介が駆け寄って身体を揺（ゆ）するが何の応えもない。異常を感じて亮介が抱き上げたとき、咲紀は腕の中で小さくいやいやをしただけだった。

途中、下駄の緒が切れて、素足で泥水を跳ねながら、何度か立ち止まっては咲紀を抱き直し急いだ。

自分に責任があるような気がした。

宿のおかみは見知らぬ少女の出現に驚いていたが、すぐ近くの医者を捜して電話をした。

「奥さん、兎に角この部屋を借ります」

「あんたのお連れさんかね」

亮介は一瞬戸惑いながら、

「ええ……そうなんです……」

と答えてしまって、自分でもおかしな気がした。

「何か着替えはありませんか」

「そうだね」

おかみはあたふたと出ていった。

亮介は急いで咲紀の髪、首筋、腕とタオルで拭いた。

「もう大丈夫だ、心配ないよ」

咲紀は遠い意識の中で、その男が昨日の夕方浜辺で声を交わしたことのある男だと理解していた。

「寒いかい。いま着替えが来るからね」


亮介が医者を連れて部屋に入ったとき、咲紀は布団の中に眠っていた。

亮介から経緯を聞いた医者は診断を終えると、

「若い人は本当に無茶やりますなぁ。まだ朝晩の冷え込みはきついですからな……あんな処に一晩居たら体が冷え切ってしまう。……多少熱があるが冷やすまでもないでしょう。なーに温かくしてしばらく寝ていれば直ぐに回復しますよ。熱が引かないようならまた報せて下さい」

と言って立ち上がった。亮介は礼を言って医者を送り出して部屋へ戻ったが、その後を追ってきたおかみは、

「本当にご存じの娘さんですかね」と如何にも迷惑そうに言う。

「私が責任持ちますから、回復するまで置いてやって下さい」

「いえね、若い娘さんに一人でこんなところで寝込まれるとねぇ……私らも病人の面倒までは見切れませんからね」

「出来るだけのことは僕がします」

「そうですか。なら……」

おかみは迷惑な気持ちを隠しきれないように、そそくさと出て行った。

咲紀は安らかな寝顔で眠っている。あどけない顔には、まだ少女の匂いがする。だが、発育した肉体はもうすっかり大人のものだ。亮介はぐっすり眠っている咲紀の寝顔を見守りながら、事情が分かるまではそっとしていようと思った。


夕方になって咲紀が眠りから覚めたとき、眼の前に亮介の顔があった。

「何も心配しないでいいからね。どう気分は？　ここはね、僕が泊まっている民宿なんだ」

「……」

「君はメロンは好きかい。夜中にお腹でも空いたら食べなさい。欲しいものがあったら買ってこようか」

咲紀は黙ったまま頭を振った。

「そうか、兎に角今夜は何も考えず温かくして思い切り眠りなさい。僕は隣に居るからね。何かあったら、この壁を叩きなさい。いいね……じゃ、ゆっくりお休み」

亮介はそう言って部屋を出た。

知らぬ家で一夜を越さねばならないのに、咲紀は何の不安も感じなかった。むしろ長い不安との戦いの末にやっと掴んだ安息の場に思えた。


咲紀はその夜夢を見た。

空にそびえる崖の上に立っていた。飛び下りよう、そう思いながらなかなか思い切ることが出来ない。それを岩陰からもう一人の自分が見ている。勇気がないのかと嘲笑う。

崖から飛び込む前で目が覚めた。全身水を浴びたような汗だった。咲紀は起きて全てを脱ぎ、汗を拭いて再び布団へ入った。素肌が、柔らかい毛布の中で快かった。それからまた深い眠りに落ちていった。

*　　　*　　　*

咲紀が大学の二年生になる直前のことだった。順調に業績を伸ばしていた父の会社が突然倒産した。学生時代からの友人の資材会社が倒産し、保証人になっていた父も資金繰りがつかず共倒れとなったのだった。平穏な暮らしが続いた家庭にも激震が起きた。

「あれほど言ったでしょ！　お金は貸しても、決して保証人にはなるなって！」

半狂乱となった祖母は父を責めたが総てが後のまつりだった。会社のビルが差し押さえられ、社員たちは関連会社に移った。継母はあっさり出て行き、父は行方不明になった。それだけではなかった。兄妹のいない咲紀の心の支えであった恋人までが去っていった。結局残されたのは半狂人となった祖母と、全てを失った咲紀の二人だけだった。祖母の名義になっていた住まいと、咲紀の将来のためにと父が蓄えてくれていた幾ばくかの貯金だけが残された。

《四月十一日・月曜日》　狸の子

「お父さん！　……お父さん！　お父さん！」

絶叫する咲紀の声で亮介は飛び起きた。時計を見るとまだ朝の五時だ。亮介はそっと扉を開けて咲紀の部屋を覗いた。怖い夢でも見たのか眠っている咲紀の目尻に涙が滲（にじ）んでいる。額に手を当ててみると熱は下がっている。亮介はほっとして部屋に戻って再び布団に入った。


咲紀は窓に輝く太陽の光で目が覚めた。

熱が引いたのか思いのほか気分は良かった。咲紀は裸身を毛布でくるみ、布団から抜け出して窓から外を覗いた。

抜けるような青い空が広がっている。

桜の若葉が太陽の光を受けて、サワサワと嬉しそうに揺れている。こんな爽やかな朝を迎えたのは久し振りのことだ。咲紀は布団に戻るとメロンを一切れ口に含んだ。あっさりした甘さが口の中を潤し、体の奥まで浸みこんでいく。メロンを口に含んだまま仕切の壁に耳を寄せてみる。

音らしいものは何一つ聞こえてこない。

静寂を破るように廊下に足音がしておかみの声が扉を叩いた。

「お客さん……お客さん。……どうですか、ご気分は……」

返事がないと見ると、おかみは慌てたように戸を開けて顔を覗かせた。

「あら！　起きてたんですか！　だったら返事くらいして下さい。……大丈夫ですか。何か朝食を用意しましょうか」

ニコリともしないで毛布の中から見詰めている咲紀に、おかみは人が心配しているのにと不満顔になりながら、

「お洋服、乾かしておきましたからね。お隣のお客さんは、何時も朝遅いですから……」

そう言ってパタパタと去った。

咲紀はまた暫く横になった。

気だるい心地よさに眠気が襲ってくる。


亮介は咲紀のことが気になってか珍しく早く目が覚めた。

毎日夜遅くまで、あれやこれやと思い巡らし、ついには疲れ果てて床に着く。初めの頃はなかなか寝付けなかったが、さすがに最近では体が参っているのか、ぐっすり眠れるようになっていた。目覚めて直ぐに咲紀の部屋に声を掛けた。

「どう気分は？　……入ってもいいかな！」

大きな声のつもりだったが返事がない。

「開けるよ。……」

亮介は扉を開けた途端に仰け反った。

目の前に毛布にくるまった咲紀の顔があったからだ。

「なんだ、起きていたのか！　……気分はどうなの？」

咲紀はおかみと同じだと思ってニコッとした。

亮介は咲紀の額に手を当て、

「うん、だいじょうぶだ。……でもまだ横になっていた方がいい」

そう言って咲紀を布団に促した。

「……昨日は本当にどうなるものかと心配だった。君みたいな若い女の子が、一人旅先で寝込んでいたんじゃ……誰だって心配する」

咲紀は答えに困った。旅と言えばそうかも知れない。だが、この村に着くまで、旅といった気分などなかった。

「家には連絡しなくても良いのかな」

咲紀は、ふと祖母のことを思った。普通の家庭なら大騒ぎだろうが、心配してくれる筈の父ももう居ない。

「……何か旨い物買ってきてあげよう。……ちゃんと食べて、今日一日温かくして寝ていれば明日は帰れるようになるよ。……さてと……レディの前だから髭ぐらい剃って顔でも洗ってくるか」

亮介は顎を撫でながら、わざと笑顔を作って部屋を出た。

咲紀は一言も口を開かず、ただ大きな瞳で亮介を見送っただけだった。

あの土手に踞った時、果たして死ぬ気があったのだろうか。ただ、何となくそうなったに過ぎないような気もする。良く知らない民宿の一室で毛布にくるまりながら、咲紀はこれでいいんだといった諦めとも安堵ともつかない気持ちになった。


亮介が再び咲紀の部屋を覗いたのは、正午を少し回ってからだった。

「民宿じゃ昼食は出ないからね。こんなもの君は好きかな」

紙袋の中からリンゴやパン、牛乳を取り出して並べた。

「旨いものと言ったって、この近所には店が一軒しかないんだ」

咲紀は、黙って聞いていた。

気分はよいのだが何故か口を利く勇気が出なかった。亮介とは二日前に遇ったばかりだが、随分以前から知っているような安心感がある。ちょっと見ると画家か小説家か、何となく普通の職業人ではないように思える。

「君を見つけたとき、最初は穴の中から子狸でも出てきたのかと思った」

咲紀は初めてククッと笑った。

「よく見たら、海の上を歩くんだと踊っていた娘だもの、本当に驚いた。狸が化けているんじゃないだろうね。しっぽが付いていいやしないか？」

亮介はそう言って、布団の上から咲紀のお尻の辺りをポンと叩いた。

咲紀は笑みを浮かべ、思わず自分のお尻に手をやった。

——あったらいいのに。わたしは本当は狸の子なんだ。山野を駈け巡り、時には人間の女の子に化ける。学校に行く必要もなければ殺伐とした人間の群れの間で悩むこともない。

幼い頃、イソップ物語が大好きで良く読んでいたことを想い出した。だが高校に通うようになってから、小説すら読んだことがない。眼前にあるのはいつも祖母が買ってくる大学受験の参考書だった。

——自分より遙かに年のいったこの人は、白い雲に向かって行ってみたいと子供のようなことを言った。この人こそ、人間に生まれ損なった狸ではないのだろうか。


夕方になって咲紀はすっかり元気になった。

隣の部屋は相変わらず物音ひとつしない。

広い畑の中に建っているこの民宿では、車の走る音さえも届かない。ただ時々、廊下をパタパタと歩くおかみらしい足音がするだけだ。咲紀はおかみが置いていった乾いた洋服に着替え、壁に掛かっている鏡を見て髪を直した。口紅を時々付けるだけで化粧など殆どしたことはない。玄関先で外から帰ってきたおかみと出合った。

「あら！　もう起きたりしてええのですか。まだ用心したがいいですよ」

「ご迷惑をかけて済みませんでした」

咲紀は初めて口を開き本心から頭を下げた。

「いいえ、わたしはいいんですけどね。お連れの方が随分心配なさっていましたよ」

「何処か行かれたんですか？」

「また、浜の方でしょう。日に二、三度はおいでのようだから」


咲紀が浜の土手に着いたら、その向こうに人影が座っていた。二日前、彼は彫刻のように立っていたが、今日は広い空間にポツンと禅僧のように座っている。咲紀はゆっくりとその方へ歩いた。

——良く飽きもせず寂しい海を見ていることが出来るものだ。

自分の世界に閉じ籠もっている亮介の背後に立って、咲紀は声を掛けるのを躊躇（ためら）った。それから数分経ち、やっと亮介が後ろを振り向いた。

「あ、君か。……もう外へ出たりして大丈夫なの？」

「ご迷惑をかけました。……ありがとうございました」

咲紀は頭を下げ、少し離れた砂の上に腰を下ろした。

「大したことがなくて本当に良かった。……ほら今日の海はとても静かだろう。海だって泣いたり笑ったり、結構大変なんだよ」

透き通った波がゆったりと渚の砂を洗っている。

「……また君と一緒にこうして海を眺めることが出来るなんて想像もしていなかった」

咲紀は黙ったまま昨日までのことを想い、明日のことを思った。明日は果たして自分は何処に居るのだろう。そして笑っているのか、泣いているのか。心の痛手に触れてこない亮介の優しさが嬉しかった。

「何も訊かないのですか?」

「うん?……何か訊いてほしい?」

亮介はしげしげと咲紀を見詰め、やっと質問を見つけたように言った。

「君は……何カップ?」

「え?」

「ほらCカップとかDカップとか言うだろう」

咲紀は急に緊張がほどけてしまった。

「君を抱いて走るのは大変だった。お尻も大きいしね」

咲紀は恥ずかしそうに笑った。


二人は渚に下り、並んでゆっくり歩いた。

「……やっと親しくなったのに、実は僕がここに居るのも今日までなんだ」

「え!」

咲紀は一瞬目の前にストンと黒い幕が落ちたような気がした。

「東京へ帰るんですか？」

「いや、……この海岸を西へ行ったところに中木（なかぎ）という小さな村がある。ここと違って、砂浜はないんだけど、箱庭のようにこじんまりとまとまった景色のよいところでね」

「……」

「若い頃に世話になった『仲木荘』という民宿があるんだ。そこを訪ねることにしている」

そう言って亮介は立ち止まった。

「君も東京へ帰りなさい。明日の朝、一緒にここを出よう。お昼頃東京へ向かえば夕方には着く。……帰ったらゆっくりお風呂に入って、うんと旨いご馳走を食べて、ゆっくり眠るといい。そして、気分を入れ替えて頑張るんだね。……ほら波だって寄せては返しているだろう。人間だって空気を吸ったら吐く……なぜ吐かなくてはいけないのか、なんて考えたら息すらできなくなってしまう。生きるって自然なことなんだ」

亮介はそう言って大きく深呼吸をした。

——そうかも知れない。だけど……。

咲紀は急に悲しくなった。

やっと知り合えたのに！　声に出すことは出来なかった。

「この広い宇宙の下で、ほんの一瞬だったけど巡り逢えたんだ、何かの縁だろう。同じ東京に住みながら、こんな田舎で逢えたんだからね」

　咲紀は自分を取り巻く人々のことを思った。これまでどれほどの人と出会ってきただろう。これから先、日本の、いや地球上の何十億という人間の何人と巡り逢い、言葉を交え、心を許しあうことが出来るのだろうか。そしてその巡り逢いの中で、自分をどう生かしていくことが出来るのだろうか。

《四月十二日・火曜日》　哀しい別れ

朝起きたとき、空は今にも泣きだしそうだった。

風が少し出ていた。今日の海はきっと白い波が立っているだろう。二人は宿を出てバス通りまで黙って歩いた。バス停に着くと亮介は、まず下田行きの時間を見ながら、

「昼間は少ないからね」と腕時計と見比べていたが、

「一時八分、……君の方が少し早い。どうせ時間通りに来やしないだろうけどね。……どっちが先に来るか当てっこしようか」と呑気なことを言う。

咲紀は心が揺れてそんな気になんてなれっこない。二人はここで反対方向のバスに乗るのだ。亮介は新しい旅に向かい、咲紀はまた、やっと抜け出した筈の現実の生活へ戻らねばならない。偶然に出逢った二人だが、流れ星のように一瞬のすれ違いで、別々の方向へ飛んで二度と再び出逢うこともないだろう。

「君に逢えて本当に楽しかった。おしりも触れたしね。……今度は恋人と二人でおいで。こんな可愛い女の子の一人旅は、寂しい」

咲紀は哀しそうに俯(うつむ)いた。

「本当に帰るんだよ。……約束してくれないか、必ず東京へ帰るって」

そう言って亮介はためらう咲紀の手をとり、無理矢理自分の小指を絡ませた。

「生きていればまたきっと何処かで逢えるよ。分かったね」

亮介はそっと咲紀を抱き寄せ、回した手で背中をたたいた。

「あ、来た来た」

バスが近づくと亮介は自分が乗るかのように手を挙げた。バスはゆっくりと停まった。

「忘れないで。人生は哀しいことばかりじゃないよ。……元気でね、じゃ」

亮介は咲紀の背中を押すようにしてバスに乗せた。早く何かを言わなければ……、咲紀が躊躇しているうちに、バスは扉を閉めて走り出した。

亮介がニッコリ笑って手を振っている。

咲紀の目にどっと涙が溢れた。手を振ることも出来ず、ただ小さくなっていく亮介の姿を見詰めるだけだった。


吉佐美からバスに乗って一時間あまり、石廊崎を回って西の方へ走り、短いトンネルを抜けると中木というバス停に着く。山の中腹にあるこのバス停から海の方を見下ろすと、入り組んだ断崖に囲まれた小さな漁村が見える。まるで造形された箱庭のように美しい。南伊豆の村は多かれ少なかれ、こうした地形の中にひっそりと存在しているのだが、亮介はこの中木が伊豆の中で最も好きなところだった。だが一九七四年五月に起きたM六・九の大地震、いわゆる『伊豆半島沖地震』で、国道から海へ続く急勾配の山の斜面が大崩落し、山裾の二十二戸、二十七人が生き埋めとなった。

村に至るには、国道のバス停から急な山道を百メートルは下らなくてはならない。特に港近くの木々に覆われた坂道は風情があって、亮介の最も好きな場所だった。だが今や東西二つの集落を繋いでいた隧道もなくなり、昔の面影はない。

亮介は港伝いに西へ歩き、地震後に移ったという『仲木荘』を探すことにした。西側集落は今も昔のままで、変化に富んだ海岸線は亮介を惹き付けるに十分な魅力があった。電話で聞いたのとは様子が違ったが、亮介はやっと路地の奥に『仲木荘』の看板を見つけた。顔を出した民宿の主人は愛想良く迎えてくれた。

もともと民宿は一九六〇年代、高度成長期の旅行ブームにあやかって、この伊豆の南部地域から始まったものだ。半農半漁の副業としてスタートし、新鮮な料理と家族的なもてなしが売りだった。田舎育ちの亮介には嬉しい存在だったが、国道が完全舗装され、訪れる旅人が多くなるに連れて、副業から本業へと乗り換える民宿が増えたりして、当初のような家族的なもてなしは少なくなっていった。

不作法な都会人を頻繁に迎えていれば、民宿だって喜んでばかりは居られなくなるだろう。かつては村の子供たちも声を掛けると人懐こく乗って来たものだが、最近ではそんな風でもない。

幸い天気は下ることもなく、岬と岬の間に見える遠い水平線までくっきりと見えた。亮介は夕食を少し遅めにして貰い、また港伝いに東側の集落へ向かった。

＊　＊　＊

かつて京子と一緒に一軒の民宿に泊まった事があった。まだ国道が舗装される前で、奥石廊崎から時速十キロで走っても車の底がぶつかる程の酷い凸凹道だった。港へ下るにも比較的なだらかな西集落の畑道を、何度か落ちそうになりながら、やっと辿り着いたものだった。

村の東側に突き出た岬の崖上は、夕陽を眺めるのに最も適している。急な崖道を上るのでちょっと辛いが、奇岩の先に沈む夕陽の美しさはそれを補ってあまりある。

亮介は突端の崖の上に立ち、茜色に染まっていく空と海を眺めながら夕陽が沈むのを待った。

あの日もこんな穏やかな夕暮れだった。

亮介と京子は寄り添って崖の上に立っていた。

「なんて素敵なの！　今ここにいるのがまるで嘘みたい」

「嘘じゃないさ、ほら」

亮介は京子をきつく抱き寄せた。

「痛いわ！」

京子はわざと声をあげ、嬉しそうに優しいキスを返した。

「こうしてあなたと二人で夕陽を眺めているなんて不思議」

「君と出会えたなんて本当に不思議」

亮介は後ろに回って京子を抱いた。

二人が初めて出会ったのは、赤坂から新宿へ向かう地下鉄の中でだった。まだ駆け出しの演出家でしかなかった亮介が、初めてドラマの台本を任されて、やっと書き上げ、その主人公の配役に思いを巡らしている時だった。仕事が始まると亮介は重傷患者のようにドラマの世界にはまってしまう。そんな場合、道で知人とすれ違っても殆ど気がつかないし、時には明らかに相手と目を合わせながら気づかず、年長者からは挨拶もしない生意気な奴と思われたりすることもある。電車を乗り越すことなど珍しくない。

その日、亮介は電車に乗っていながら完全にドラマの中にいた。そして、台本に目を落としたまま、登場するひとりの女の生き方について考えていた。電車が大きく揺れて正気に戻った時、亮介の前の席に座ったのが京子だった。まるで暗転した舞台のようにそこだけにスポットライトが当たっていた。

空想と現実の混乱に動揺したまま、亮介は新宿で下りた彼女の後を追い、気がついた時には、東口の『らんぶる』という喫茶店で向き合って座っていた。華やかなバロック音楽の流れる、落ち着いたインテリアの光の中で、彼女は輝いていた。それはまるで映画のワンシーンの中にいるような不思議な出来事だった。ずっと後で聞いたことだが、京子も、なぜ亮介の言葉に従ったのか、自分でも良く判らないと言った。二人はその時から、ごく当たり前のように出逢いを重ね、愛を交わし、結婚し、ひとつ屋根の下に住むようになった。やがて子供が生まれ幸せな生活が続いた。「運命の赤い糸で結ばれている」とは二人のことを言うのかも知れない。

「……あの日、電車の中で遇っていなかったら、あなたとここに居ることはなかったのに」

「後悔している？」

「ええ……なーんて嘘よ。本当に嘘よ、嘘なんだから」

「そんなに何度も言わなくていいよ」

「遇えて良かったんだから」

「分かっているよ」

「白状するとね、あの時、ある人と逢う約束だったんだ」

「恋人？」

「ううん、そこまではいっていなかったわ。どうしても逢いたいって何度も誘われていて……」

「じゃすっぽかしたわけ？」

「まあね」

「酷い女だ」

「でもあなたに遇えたでしょう。きっと許してくれたと想うわ」

「だれが？……。彼は君に振られて立ち直れなかったかも知れない」

「そうかしら」

「勝手なもんだ。……でも僕は、チャンスを譲ってくれた彼に感謝しなければならないのかも知れない」

「でしょう」

亮介は京子の背後から両手を胸に潜らせ、乳首をぎゅっと摘んだ。京子は「うっ！」と声を上げ、うっとりしながら話し続けた。

「不思議だった。わたしがホームに降りたとき電車がスーッと入ってきた。ゆっくり間に合ったのに、何故か次の電車にしようと思ったの」

「……」

「それで前の方に歩きながら次の電車を待ったわ。どうしてそうしようと思ったのか自分でも判らない。そして電車が来て三両目に乗って見渡したら席が一つだけ空いていた」

夕陽が赤く燃えながら海に沈まんとしている。亮介は乳房を掌で包んだまま、ゆっくり愛撫を続けた。

偶然か必然かは判らない。人生には見えない不思議な力が働くことがあるようだ。もし京子が電車を一台やり過ごしていなければ……、また三両目に乗っていなければ……、そして亮介の前の席が空いていなかったら……、こうして二人が身体を寄せ合って夕陽を眺めることもなかっただろう。

亮介は次第に力が抜けていく京子を抱いたまま、マーガレットの花畑に倒れ込み、激しく愛撫を繰り返した。

＊　＊　＊

夕食時、何十年振りかで会ったおかみは髪白き老婆に変じており、遠い昔のことなど全く憶えていなかった。

出された夕食も吉佐美の宿とほとんど同じで、人扱いも手慣れ、昔ほどの家庭的な雰囲気もない。風呂もタイル張りになり、トイレも水洗で東京のそれと少しも変わらない。生活の便利さと共に都会の乾いた心までが浸透しつつあるようだ。

亮介は数日ぶりに宿を変えたのと、バスに揺られた疲れから珍しく早く床に入った。京子との甘い想い出に浸りながら、何故か別れるとき、哀しそうな表情を見せた咲紀の姿が想い出された。

《四月十三日・水曜日》　薄化粧

亮介は何時もより早くに目が覚めた。

時計を見るとまだ八時。八時といっても漁村ではむしろ遅過ぎるくらいだ。

漁師たちは暗いうちに海へ出かけ、朝日が港を照らす頃には、下田に通勤する若者や小、中、高校生が村を出て行く。後に残るのは乳児を抱える母親や老人たちだけで港も午前中は静かだ。

昼過ぎには沖へ出ていた漁師達が戻って来て活気が戻る。漁は殆どが一本釣りで、この季節では金目鯛やメジナ、カサゴ、アオリイカやシロギスなどが釣れる。夕方魚市場に運び込まれ、競りは翌日の早朝七時に行われる。

亮介は朝食を済ませるとふらりと外へ出た。朝市も終わって港はひっそりとしている。岸壁に囲まれた港からの沖の眺めは美しく心和む。

亮介は防波堤に腰掛けて暫くの間ぼんやりしていたが、ふと思い浮かんだことがあり、急いで宿へ戻り原稿用紙を広げた。しかし何のことはない、直ぐにあれこれ考えているうちにまた眠氣をもよおしてしまった。

「お客さん！　お客さん！」

突然、廊下に老婆の声がした。亮介がハッとして戸を開けると、

「お客さんに、お客さんがお見えですよ」

と訳の分からないことを言う。

「お客さん？　わたしに？」

「はい、多分お客さんだろうって、お客さんが」

「……名前を言ったんですか？」

「いいえ……あの……良く判らんので」

「……誰か知っている人いたっけなぁ？」

「村の者じゃないです。若い女の人で」

「女の人？」

亮介は一瞬、娘であってくれれば……と馬鹿なことを思った。あり得るはずがない。次に頭に浮かんだのは咲紀のことだった。

——でもまさか……。あの娘は東京へ帰った筈だし、ここも知らなければ、来る理由もない。

「ジーンズを履いて、水色のシャツを着て……髪を後ろで束ねた……？」

「いいや、赤いスカートの……髪は確か……長かった？……ですかね？……可愛い人でしたよ」

——じゃ、あの娘でもない。だとすれば一体だれ？

「考えてないで早く行って下さい」

亮介は首を傾げ、玄関まで下りてみた。

「あら、ここにいたのに……」

「？　からかったんでしょう」

「いいえ、わたしゃそんなに気がまわらんですよ。……おかしいね……」

ぶつぶつ言いながら老婆は探しに外へ出た。

亮介はどうせ何かの間違いだ、とんだ眠気覚ましだったと苦笑した。

——ある日、宿へ一人の美しい女性が訪ねてくる。そして不思議なことを語り出す。

何かロマンチックでサスペンスがある。もしこれが事実ならドラマの一つも書けるというものだ。

老婆は首を傾げながら直ぐ戻ってきた。

「間違いだったでしょう」

「いやいや、わたしは、まだそこまでもうろくはしていませんよ」

何か狐にでもつままれたような顔をしながら、老婆はまた外へ出て行った。亮介は苦笑いしながら部屋に戻って窓を開け、港の方を見た。

空と海の青さの中に、目も覚めるような赤い色の服を着た女性が防波堤の先へ向かって歩いている。

亮介は急いで港へ向かった。

亮介が防波堤に着いたとき、女性はじっと海面を覗いて屈み込んだままだった。オレンジに白い小さな花模様をあしらったミニワンピースを着ている。白い脚が美しく伸び、長い髪が風に揺れている。

それは吉佐美で別れた筈の咲紀だった。

「！……君か……」

咲紀は亮介と分かって、黙ったまま避けるようにゆっくり突堤（とってい）の方へ歩き始めた。亮介もまたどう話を繋いだらよいのか戸惑った。ここへ現れた理由もさることながら、余りの変貌振りに理解がいかなかったからだ。薄化粧をし、すっかり大人の女になっていた。

「さっき、仲木荘を訪ねたのは君なんだろう？」

咲紀は叱られる子供のようにこくりと頷いた。

「おばあさんが困っていた。……君は本当に悪戯が好きなんだね」

「……あ、ほらあそこにメダカみたいのがいっぱい泳いでいる！」

なるほど咲紀の指さす方に小魚が群れをなし、陽の光にキラキラと光っている。

「きれい……」

「東京へ帰ったと想っていたのに」

「何という魚なの？……」

「指切りしなかったっけ」

「あ、潜っちゃった！」

「……そうか……あれは夢だったんだ。……また逢えて嬉しいよ」

咲紀は初めて亮介の方を見て微笑した。

大きな瞳に青空と白い雲が映っている。

二人は堤防から足をぶら下げ並んで腰掛けた。浜風が二人の髪をなびかせ、村の方へ駈けていく。

「約束通り下田まで行ったの。直ぐの電車があったんだけど次の電車にしたわ。……それでね、待っている間に通りの小さなブティックを覗いたの」

「……それで変身か。やっぱり君は吉佐美で見つけた子狸だ」

『中木のなかぎ』って覚えていたんだ」

「そうか、君は頭が良くて推理も得意なんだ。……その服、とても良く似合っている。可愛いよ」

「お金いっぱい持っていたから……」

「ひょっとして、家出少女だったりして」

亮介が冷やかし半分で言うと咲紀は「そう」とあっさり答えた。

「じゃ今頃お母さん、心配しているだろう」

「うん」

「捜索願出してるかな」

「そうかも知れない。……おじさまも家出？」

思わぬ展開に亮介はハハハと楽しそうに笑った。

「家出か……そう言えば家出になるかな」

「きっと奥様が心配なさっているわ」

「うん、捜索願を出しているかも知れない」

「ほんとう？」

「……うん」

「奥様を愛していないの？」

「……ほら、あそこに魚が泳いでいる」

今度は亮介が空を指して話をそらした。

「え？」

つられて空を見上げた咲紀は、そこに小さな雲を見つけ、明るく笑った。

青い空と海の間で、過去を捨てた一組みの男女の心が絡み始めていた。

風もなく、良く晴れ渡った日は、南伊豆の海辺は暖かく穏やかだ。

＊　＊　＊

咲紀が初めて家出をしたのは高校へ進学してすぐだった。思いがけない事実を突きつけられ、発作的にとった行動だった。日が暮れて人影の少なくなった石廊崎の崖上の道を泣きながら歩き続けた。その時の心の痛手が今でもはっきり残っている。

当時、祖父から引き継いだ父の建設会社は順風満帆で、社員も五十人は居た。社長の一人娘として周りからちやほやされて育った。父は咲紀を溺愛し、欲しいものは何でも与え、習いたいことは何でも叶えてくれた。『白鳥の湖』や『眠れる森の美女』の公演を観てバレリーナに憧れ、幼馴染みの良子と一緒にバレエ教室にも通った。だが一年も満たない内に足首を痛めて止め、次に熱中したピアノも中学卒業と同時に止めた。

家庭のことで言えば、気丈な祖母が実権を握り切り盛りしていた。そうしたある日、東伊豆の倉谷という家から咲紀宛てに贈り物が届いた。嬉しくて咲紀が開けている側で「こんなものを送ってきて！」と祖母は酷く怒った。その理由など咲紀に判るはずもなかった。中学生になって、ふとしたことから祖母と言い争ったことがあった。その時、激昂（げきこう）した祖母は、

「あなたは貰いっ子なの！」と怒鳴った。

それから咲紀は自分の出生に疑問を持つようになり、ことあるごとに祖母と衝突し、ついには非行に走った。非行と言っても深夜遅くまで友人と遊び回る程度のものだったが、父だけは味方だった。

ある日、酒に酔った父は事実を打ち明けてくれた。

父は母を愛していた。だが、父を溺愛していた祖母は二人の結婚に猛反対した。祖父が育て上げた会社を背負っていくべき父の妻として「漁師の娘では務まらない！」と言う理不尽なものだった。祖父の執り成しで二人は結婚はしたものの、祖母と若い母との折り合いの悪さは酷くなるばかりで、結局母は生まれて間もない咲紀を連れて実家へ帰った。祖母は直ぐに自分が気に入っていた下請け会社の娘である継母を連れてきた。だが、子を産めないことが分かって咲紀を引き取ることになった。

父から話を聞いた数日後、咲紀は下田行きの電車の中に居た。

戸籍謄本を何度繰り返して見たか分からない。母の覧には確かに見知らぬ名前が書かれていた。

咲紀は握りしめていた謄本をちぎって海へ捨てた。

これまでただの一度も、自分の血の繋がりについて考えたことはなかった。

――いったい血の繋がりとは何なのだろう。親と子の繋がりとは？……。

男と女が出逢い、結ばれて一つの命が誕生する。それは男女の愛情や要求に無関係に、いや、求められぬ場合でさえ、卵子と精子は引き合い、新しい命の源を形造ってしまう。そして、それはもう人間の意志とは全く別のところで、独自に細胞分裂を繰り返し、目をつくり、手をつくり、足の指をつくり、やがて一個の人間として切り離される。普通なら、母親は自分の分身として大切に懐に抱き、乳房を与えて育てるだろう。だが、咲紀のように母の体内を出て間もなく、血を繋ぐ親から他の親へと渡されることもある。生むことと育てることは、全く別の事業なのか。咲紀は衝撃的な事実を知りながら、本当の産みの親について知りたいとは思わなかった。父も継母も溺愛ともいえるほど自分を愛してくれていたからだ。

突然の咲紀の失踪は大騒ぎとなり、警察へ捜索願が出されていた。咲紀は石廊崎を巡ったあと下田に泊まり、三日後に家に戻った。父も継母も涙を浮かべて黙って抱きしめただけで何も言わなかった。

その日からまた、咲紀はまるで何事も無かったかのように、いつもの少女に戻ったのだった。

＊　＊　＊

海面に小魚が群れている。

「これからどうするつもり？」

「……分からないの……」

咲紀は本当に困った顔をした。

「……私もおじさまと同じところに泊まっていい？」

「……」

「ご迷惑はかけないから、……お願い」

亮介は哀願されて、それ以上反対する気にもなれなかった。

民宿に戻って母屋の方へ声を掛けたら、老婆は顔を出すなり、

「この人ですよ！　さっきの……」

と、不満の声をあげた。咲紀はピョコンと頭を下げた。

「お客さんの知っている人でしょ」

老婆はしたり顔で言う。

「ええ知っているもなにも……娘なんです」

「あれ、娘さん？……」

老婆は目を開くだけ開いて二人を見比べた。

「僕の後を追って、家を飛び出して来たらしんです」

「へ……、そうですか」

老婆はまだ納得がいかないといった表情をする。

「それで、今夜この子も泊めて頂きたいんですが」

「……娘さんじゃねぇ。ま、他のお客さんも帰られたことだし……いいですよ」

「じゃ、僕の隣の部屋をよろしいですか」

「……まぁ……」

　と言いかけて老婆は先にたって二階へ上がっていった。親子なら一緒の部屋でもいいんじゃないかと言いたかったようだ。

「どうぞお使い下さい。お風呂が沸いたら知らせます」

　と言って出て行った。

「吉佐美とはまた違った眺めだろう。……とりあえず君もゆっくりしなさい。後でまた話をしよう」

　亮介はそう言って隣の自分の部屋に引き揚げた。自分の娘とは言ったものの、矢張り一人の女に違いなかった。

　咲紀は一瞬寂しそうな表情を見せたが、窓外の景色に視線を向けた。

　亮介が風呂から上がって一階右端にある座敷に行ったら、咲紀は用意された膳には手を付けずテレビを観ていた。

「先に食べてくれれば良かったのに」

「いいの、テレビ観ていたから」

「そうか、さ食べようか」

咲紀は亮介の椀をとってご飯を装った。如何にも馴れない手つきが、亮介には新鮮だった。テレビでは純情可憐さで売っている歌手のK子が、くねるようなフィンガーアクションで歌っている。素人に近い歌は音程さえ怪しく聴くに耐えない。この頃では、歌の上手さより容姿が売りなのだ。亮介は次第に何か腐りかけた匂いがしてくるのを感じた。

「テレビ、消していいかい。観たいならいいんだが……」

「おじさま、この歌手が嫌いなのね」

「そうじゃないんだが……」

言い終える前に咲紀は手を伸ばしてテレビを消した。

「私もこの人あまり好きじゃないの。なんだか媚びてる感じがするから」

この子も感じているのか、と亮介は思った。

＊　　＊　　＊

亮介は地下トンネルのようなテレビ局の通路で、プロデューサーのYと人気絶頂のK子とすれ違った。Yとはドラマで数回にわたって付き合っている。学生時代から知っているが、卒業して、お互いがテレビ局と広告代理店という別の道を歩くようになって、数年は会っていなかった。それが或る打合せの席で、番組担当のプロデューサーとして紹介された。勿論旧知の間柄ではあったが、その時から敏腕プロデューサーとディレクターとの関係になった。

ドラマのキャスティングは、プロデューサーを中心に広告代理店、スポンサー、脚本家などが加わる。

スポンサーの意向が強い時もあるが、大方はプロデューサーの好みが大きく働く。K子はYの手で発掘され、一躍TV界のアイドルとなった。それも亮介が演出するはずであったホームドラマの主役としてだった。一年前までは、新宿で不良仲間とぶらついていた家出少女でしかなかった。まだ十八歳だった。それが或るタレントプロにスカウトされ、Yに売り込みが来た。その時も亮介は一度K子に会っている。亮介も新人タレント起用の演出家としては一応知られた存在ではあったが、K子と会って話したとき、とてもドラマのヒロインにはほど遠いと判断した。

亮介の強い反対に対するYの結論は演出降板だった。

そしてドラマは新しい演出家によってスタートしたが、予想通り局内でのK子の評価は散々だった。だが、ドラマで歌った素人っぽいK子の歌がヒットし、思わぬ形で話題のタレントとして人気に火がついた。いつの間にかK子はアイドル歌手に上り詰め、TV画面に登場する日が多くなった。出演回数を多くすることで、更に人気に火がついた。プロデューサーYが新人発掘の第一人者と言われる所以でもある。プロダクション側でもK子の出演と引き替えに接待攻勢をかけ、バックマージンすら支払っている節があった。

およそ歌手らしい素質も役者になるだけの演技力も持ち合わせていない女の子が、単に容姿が良いと言うことで一躍TVの人気歌手に作り上げられてしまうのだ。

＊　＊　＊

「この魚も漁師に捕まるまでは、広い海の中をたくさんの仲間たちと自由に泳ぎ回っていたのね」

昼間港で見た小魚を思い出したのか、突然咲紀が皿に乗った煮魚を見て言った。この娘も深く病んでいるのだ、と亮介は思った。

海中に注ぐ太陽の光に、魚の群れが美しく舞う。光が揺らめいて幻想的なシーンが展開する。魚たちは集団をなして、広い海中を右に泳いでいるかと思えば急に体を翻(ひるがえ)して左へ泳ぐ。それは美しく自由な色彩の乱舞だ。

「君は魚が群れをなして泳いでいるのはどうしてだと思うかい」

「……淋しいから、ひとりだと」

亮介はそれもあるだろうと頷いた。

「美しい世界のようだけど、海の中にも恐ろしい敵がいる。小魚は大きな魚の餌食になる。だから外敵から身を守るために集団で回遊しているんだ。でも、そうした弱肉強食の世界でも、空腹が満たされれば無節操に食い荒らすようなことはしない。必要以上に相手を傷つけたり、餌食にすることはないんだ」

だが人間は違う、と亮介は言いたかった。

* * *

ドラマの打ち上げの時だった。空いていたスタジオにテーブルが並べられ、立食パーティーの酒と料理が運ばれる。プロデューサーの挨拶が終わり、亮介も出演者やスタッフとの歓談を楽しむ。だが亮介はあまりこの種のパーティーが好きではない。仕事の苦労を労(ねぎら)い、再会を約すのは良い、が必要以上に媚びを売る言葉が飛び交う。タイトなスケジュールに追われる俳優たちが三々五々と姿を消していき、裏方を務めるスタッフと食い散らかされた料理が残る。アフリカから研修に来ていたアーロンという一人の黒人スタッフがいた。

「残った料理はどうするんですか？」

山と残された料理を見ての素朴な質問だった。女性スタッフの一人が平然と答えた。

「残飯として捨てるの」

射るように料理を見詰めていた黒人の目に涙が滲（にじ）んだ。

「どうしたのアーロン」

「捨てるくらいなら……持ち帰って国の子供たちに食べさせてあげたい」

亮介はその時の黒人の涙をはっきり憶えている。

敗戦前後の日本人も飢餓に喘いでいた時代があったはずだ。だが今や飽食の限りを尽くし、豚の如く丸々と太っては成人病に苦しんでいる。なんと浅ましい生き様だろうか。ＣＭは消費を煽（あお）り、テレビは食文化の美名のもとに料理番組を洪水のように流す。試食するタレントは百パーセント「美味しい！」と絶叫する。例え好みに合わなくても「まずい！」とは死んでも言えない。もし正直に叫べば一発で降ろされてしまう、否、降ろされないまでも出番は確実に少なくなっていくだろう。生きるということは他の動物や植物の生命を食するということだ。命を大切にすることは人間だけの話ではない。贅（ぜい）をつくし、ただ「食べるために生きている」人間がはびこり、「生きるために食べる」ことをすら出来ない人間の存在が忘れ去られている。

かつて亮介も韓国料理を巡る旅番組の依頼を受けたことがあった。「日本は飽食の時代に陥っている」と思わず口にしたことから、「思想を感じる」とあっさり降板させられた。食文化をテーマに仕事をしている者からすれば、自分を否定されたも同然だったかも知れない。この降板劇はむしろ亮介にとっては願ってもないことだった。金のために意に添わない仕事まではやりたくはない。こうした頑な考えが演出家としての亮介の立場の危うさにも繋がっている。

＊　＊　＊

「おじさま、おかわりは？」

亮介は耳元で咲紀の声を聴いた。

「……いや、もういい」

「おじさま、時々居なくなってしまうみたい」

そうかも知れない、と亮介も思う。

亮介はふとした切っ掛けで、自分の肉体を抜け出し、過去へ戻ったり、未来の宇宙空間に漂ったりする。ほんの数秒の時もあるし、一日中そのままで居る時もある。そんなとき、亮介は決まって遠くを見る。正しくは見るのではなく、ぼんやりと虚空（こくう）に視線を泳がせているのだ。

亮介の母がそうだった。賑やかな会話の間にも、母は良く寂しそうにぼんやり一点を見詰める癖があった。見ているのでは無く考えている風でもあり、スーッとその場から抜け出しているようでもある。

「お母ちゃん！　何見ているの」

そう言われて、母は「あぁ、そうだ」と言った風に我に返り、良く微笑を浮かべて次の話に聴き入ったものだ。その母の癖が亮介にも移ったらしい。何故母がそんな虚ろな表情をするのか、亮介は子供心に不思議に思ったこともあるが、一度もその理由を訊いたことはない。亮介は三十歳を越えた頃、自分にその母と同じ癖があることに気付いた。それも、妻に指摘されてからである。

「あなたは、時々、眼の前からスーッと居なくなるみたい」

妻の言葉は咲紀の言葉と同じだ。

二人の食事の後、若い家族も加わってしばらくとりとめのない話が続いた。静かなこの村も夏になると、都会から繰り出すレジャー客で溢れ、夜も遅くまでかき鳴らすギターの音や花火の音など、喧噪が絶えることがないことなど。咲紀が眠そうに眼をしばたたかせているのに気がついて亮介は部屋へ促した。

「今日は何も考えずゆっくりお休み」

亮介に言われて、咲紀は心残りな表情を見せて自分の部屋へ入った。

今夜は窓を打つ風の音もない。

近くで磯を洗う波の音がむしろ静けさを伝えてくる。

珍しく亮介は筆が運んだ。調子に乗るとまるで溜まっていたものを吐き出すように一気に書く。だが、いったん行き詰まってしまうと何日も悶々としてしまう。咲紀と食事をしている頃から霞がとれかかっていた。

咲紀は亮介と一緒に雨上がりの清々しい空気を吸いながら、岬の崖の上に立っていた。広い海の彼方に、柔らかな陽の光がこぼれて虹が大きな橋を架けている。

咲紀は両手を広げ、崖の上から海に向かって大地を蹴る。

体がふわりと浮く。

恐らく昔話に出てくる天女（てんにょ）もこんなだったのだろう。着物の裾をなびかせ、風に舞う羽衣が西陽に美しくふわふわと……。

そうだ、テレビで観たスカイダイバー。

いま咲紀は紛れもなく亮介と手をつなぎ、光を浴びながら空高く浮かんでいる。だが次の瞬間手が離れ、咲紀だけが港に向かって落ちていく。

港の突堤（とってい）で誰か手を振っているのが見える。豆粒のように小さいが、それが誰だか咲紀には分かっている。

——なんて馬鹿なことを！　いいえおばあちゃん、わたしは昔から飛ぶことが出来たの。何を言っているの、貴女は鳥では無く人間なのよ！　心配なんか要らないわ。ほらこんなに快適に飛んでいるのだから。貴女は大学を卒業したら素敵なお婿さんを見つけて、お父さんの後を継ぐのよ。いつもそうだったわ。わたしが飛ぼうとすると必ずおばあちゃんはあれこれ言ってわたしの自由を奪おうとする！　そうよ、だからわたしは、おばあちゃんの居ない新しい天地を求めてやって来たの。ほらこんなに素敵に飛んでいるでしょう。馬鹿なこと言わないで！　貴女は私の孫なのよ。私なしでは生きられないの！　わたしはもうおばあちゃんの人形ではないわ！　自分の考えで、自分の力で、新しい宇宙に向かって飛び立つんだわ！

広い空を見回すが亮介の姿は何処にも見当たらない。

「おじさまーっ！　何処へ行ったの！　おじさまーっ！」

どんなに叫んでも声が空に吸い込まれて返って来ない。

咲紀は失速した飛行機のように祖母の立つ漁港へ向かって落ちて行った。

《四月十四日・木曜日》　春雷

咲紀は目覚めた瞬間、東京の自分の部屋と勘違いして、ベッドから下りるつもりで畳に当たり、そうだと我に返った。

隣の部屋で咳をする声がしたがまた静かになった。起きている気配はない。咲紀はひとり外へ出ると潮の香りに誘われて港まで下りて行った。丁度朝市の最中だった。威勢良く飛び交う声、誰もが生き生きとしている。咲紀は久し振りに新鮮な気持ちで港を歩き回った。


――もう起きているだろう。

咲紀は港の活気が引き始めると宿へ戻った。

出た時と同じで隣の部屋はまだ静かだ。体調でも悪くしたのだろうか。亮介がなにやら薬らしきものを飲んでいるのは知っている。昨夜の食事の後でも、話しながらテーブルの下で薬を用意し、咲紀の気を逸らすようにして飲んでいた。気にはなったが亮介の仕草が訊くのを拒んでいた。

咲紀は思い切って部屋の外から声をかけてみたが返事がない。もう一度声を掛け、返事がないのを確かめてそっと戸を開けた。部屋は綺麗に片付けられており亮介の姿はない。きっと自分と入れ違いに散歩にでも出たのだろう。咲紀はそう思って再び港へ出た。

突堤の上に大きな犬が寝そべっている。近づいてもチラリと目を向けただけで少しも動じる様子はない。そう言えば、咲紀がこの中木へやって来たとき、坂道の途中で最初に出会ったのがこの犬だった。

「こんにちは。……おじさまを見かけなかった？」

咲紀は恐々とそう言って近くに座った。犬は返事の代わりに寝返りを打った。大きな腹には乳房が並んでいる。どれだけ子供を産んで、その子たちがこの乳房をまさぐったことだろう。人間で言えば、恐らく六十歳と言うところか。その落ち着き払った寝姿には、何事にも驚かない強さと穏やかさが溢れている。咲紀は、久しぶりに懐かしい友にでも逢ったような親しみを覚えた。

「わたし、咲紀と言うの。お友達になってね」

犬は目を瞬かせ、のっそり体を起こすと咲紀の膝元に体をすり寄せてきた。

「あんた、あまり見かけない顔だね。おじさまって、だれ？」

長閑(のどか)な日射しの中で、その柔和な目が優しく語りかけている。

「そうね……。その前にお友達になってくれる？」

「……まだ決めていないけど」

「そんなこと言わないで。……名前はなんていうの……」

「誰も呼んでくれないからもう忘れてしまった」

「あら、じゃ勝手に付けちゃっても良い？……そうねぇ……モモちゃんってのはどう？」

咲紀が決めると老犬の目が笑った。

『モモ』とは咲紀が前に飼っていた犬の名前である。元々は猫の名前だった。

咲紀が小学五年生の頃、近くのゴミ捨て場に段ボール箱に入れて捨てられていた二匹の子猫を連れ帰った。だが猫嫌いの祖母は「黒猫なんて不吉！　捨ててきなさい！」と怒鳴った。泣きじゃくる咲紀に手を焼いた父の執り成しで、一匹だけ飼うことになり、もう一匹は友だちの良子の家に貰われていくことで決着した。咲紀は首輪を付ける代わりに、耳に小さな丸いピンクのピアスを付けた。黒い耳に紅いピアスはよく似合い可愛いくて可愛くて仕方がなかった。その日から兄妹の居ない咲紀にとって、モモは無二の遊び相手となった。

だがおてんばのモモの悪戯は酷く、障子を破り、ソファを引っ掻き、ついには禁じられていた祖母の部屋に入り込み、祖母が最も大切にしていた牡丹の掛け軸を引き裂いてしまった。激怒した祖母は咲紀が学校へ行っている間に、若い社員に命じてモモを捨てさせた。咲紀は喚き啼き散らし、祖母が大切にしていた茶道具の茶碗や茶筅、茶杓など一式を窓から投げ捨てた。咲紀の最初の反抗だった。

そこで父は外で飼うことを条件に一匹のゴールデン・レトリバーの子犬を連れてきた。雌犬だったことから咲紀は矢張り『モモ』と名付けたのだった。

＊　＊　＊　＊　＊

「羨ましいわ。毎日こんなところでのんびりできるなんて」

「そうでもないですよ」

モモは哀しそうな目で咲紀を見上げた。

咲紀は背中を撫でながら言った。

「でもあなたには、愛して下さるご主人があるのでしょう。だから毎日ここで待っているのでしょう」

「……そうだけど、もう帰ってこないんだ」

咲紀はモモの憂いの目を見ているうちに訳もなく急に涙がこぼれそうになってきた。

——おじさまは一体どこへ行ってしまったんだろう。

それから咲紀はモモと一緒に亮介を捜した。

潮が引いて港の東端にある断崖の磯が顔を出し、岬の奥へと続いている。咲紀は潮溜まりを覗きながら奥へと進んだ。しばらく行くと、岩陰から子供のはしゃぐ声が聞こえてきた。二歳位の女の子と四、五歳位の男の子が遊んでいる。村の子供でないことは明らかだ。こんなところに幼い子供だけなんて……咲紀が声をかけようと近づこうとしたとき、崖下の岩場にもう一組の人影が座り込んでいるのが見えた。喜々として戯れている子供を見守る若い母親の側に、十歳位の女の子が黙って寄り添っている。

子供たちは、磯の潮溜まりの小石を返してはカニだ、魚だと無心に騒いでいる。咲紀が近づくと男の子が、

「ほら、カニが居たよ!」と言って小さな掌を差しだす。

こんなに生き生きとした子供の姿を目にするのは久しかった。

それから夕方になるまで、咲紀は亮介のことも忘れて二人の子供と遊んだ。母親の目は一瞬の瞬きも惜しむかのように、二人の子供に注がれ、寄り添っていた女の子は、ついに一度も遊びに加わることはなかった。

陽が傾いて村へ戻るとき、母親は初めて「ありがとうございました」と咲紀に深々と頭を下げた。

咲紀は幼い子供二人と手を繋ぎ、モモと一緒に村へ続く道を歩いた。

その夜、亮介は夕食にも姿を見せなかった。

咲紀が一人食事をしていると、奥からお茶を運んできた老婆が声をかけた。

「お客さんは急用が出来たとかで、お出かけになりました」

「え？　何処へ？」

「さぁ……あの方はあまりお話にならないですからね」

そう言われて咲紀は次の言葉を失った。

山と崖に囲まれたこの村は、夜ともなればすっぽり闇の中に消えてしまう。

咲紀はテレビを観る気にもなれなくて、部屋に戻り、窓に寄りかかって膝を抱えたまま、ぼんやりと時を過ごした。

時計を見ると既に十一時を回っている。もうとっくにバスはないはずだ。

――どこへ行ってしまったのだろう。わたしに何も言わずに……。

時間と共に不安が大きくなって来る。

咲紀はそっと亮介の部屋の戸を開けてみた。

薄暗いテーブルの上に原稿用紙が乱雑に置かれているのが見える。咲紀は妖しい力に引き寄せられるように部屋へ入ると電氣を付けた。そして恐る恐るテーブルに近づき原稿用紙を覗いた。

『黒こげになった丸太が足の踏み場もなく転がっている。これが本当に人間なのか。すぐ近くには、皮膚がずるりと剥けて赤い肉を晒した母親が幼児を抱いたまま息絶えていた。傷ついた子供の口元に蛆虫がうごめいている。ウメノは屈み込んで激しく嘔吐し肩を震わせた。もう流すべき一滴の涙も残っていなかった。これが同じ人間の仕業とはとても信じられない。だがこれは間違いなく人間が自らこの世に作り出した地獄なのだ。ウメノは腐っていく人間の死臭の中で、ひとつひとつ死体を引き起こしながら妹を捜した。』

　文章はそこで途切れている。咲紀は得体の知れない恐怖が足下からはい上がってくるのを憶えた。慌てて部屋を出ようとして丸めて捨てられている紙くずに気がついた。

　震える手で拾いあげて皺を伸ばした。

〈自分が死んだら、いったい誰が涙を流してくれるのか！　死んだら！　死んだら！　早く！　急げ！

時間がない！　ない！　ない！　ない！　急ぐんだ！〉

殴り書きされた意味不明の文字が、用紙の枠をはみ出して叫んでいる。

用紙の端には血のようなものが付いている。咲紀は亮介の心の闇を覗いた気がして、急いで自分の部屋に戻り、暫くそのまま座り込んで震えていた。

――どうしてあんな悲惨なことが書けるのだろうか。それに、死んだら！　急げ！　時間がない！とは何を意味するのか。何ごとか起きたに違いないが、こんな夜更けまで何処へ……もしかしたら東京へ帰ってしまったのでは……。いや原稿がそのままだからそんな筈はない。

ひとりになった不安が咲紀の頭の中を駆け巡る。

――それにしても……。自分はどうしてこんな処で、ひとり思い悩み、震えているのだろうか。

しばらくして、咲紀は幾らか平静を取り戻した。

少なくとも父が亡くなるまでは、何不自由なく華やかな渦の中に居た。そんな生活が当たり前で何の疑いも持ったことすらない。大学を卒業し、やがて素敵な恋人と巡り逢い結婚する。そして子供を産んで母になる。父や祖母に守られ、用意されたエスカレーターに乗り、決められた道を登っていけば、そこには平和な生活が待っている。少なくともあの出来事が起き、エスカレーターが止まることがなければ……。

咲紀は改めて亮介のことを想ってみる。出逢って四、五日は経っているのに、まだお互いの過去に触れたことはない。

咲紀は自分を抱きながら耳を澄ました。

遥か遠くで雷が叫んでいる。その音に混じって車のドアの開く音が聞こえた。足音は規則正しく確実に自分の方へ近づいてくる。

咲紀は、先程まで心の中で渦巻いていた不安が、安心に変わっていくのを覚えた。この不思議な気持ちはなんだろう。これまで周りにいた人との深い絆を断ち切ってここへ来たはずなのに、糸が切れた凧のように漂っていた自分の糸が、同じように漂っていたあの人の糸と絡んでしまったのか……。


足音を殺して階段を上ってきた亮介は、部屋の前に踞っている咲紀を見てぎょっとなった。

「まだ起きていたの」

「……遠くに雷が居るの……」

「うん……春の嵐が来そうだ」

二人の話を聞いていたようにまた遠くで雷が鳴った。

「……今日はもう遅いからお休み」

亮介はそう言って咲紀を部屋に入れた。

何処へいっていたの？　咲紀は訊く勇気がなかった。

夜明け近くになって突風が吹き、雷鳴と共に激しい雨が窓を叩くようになった。稲妻が走り、雷鳴が炸裂するたびに咲紀は毛布を抱えて部屋の隅で震えた。そして強烈な閃光が窓に張り付いた瞬間、無我夢中で亮介の部屋に駆け込んでいた。亮介は震えて突っ立っている咲紀に向かって、黙って自分の布団を開けた。咲紀は雷鳴の炸裂と同時に亮介の懐に飛び込んでいた。

稲妻と雷鳴が襲うたびに咲紀は震え、亮介はしっかりと抱き寄せた。

《四月十五日・金曜日》 父の陽炎

　亮介が眠りから覚めると、腕の中にはすやすやと寝息をたてる咲紀が眠っている。まるで幼子が父親に甘えて身を寄せているように目尻に涙を溜めて。まだあどけなさの残る咲紀の横顔は生々しく美しかった。閉じた目元から睫毛(まつげ)が空に向かってなめらかな曲線を描き、頰から首筋にかけ、産毛がそよ風に揺らいでいる。この娘も、大人が作り上げた人生の重荷を背負わされ、突然迷路に投げ込まれた不安から涙を流す夢でも見たのだろう。

　咲紀もまた、蕾がほころぶような温かい陽ざしの中で目を覚ました。おぼろげな視線の奥に男の匂いがして、亮介の胸の中にいるのを知った。慌ててくるりと背中を向けて目を閉じると、「花が咲いている」と呟(つぶや)いた。

「うん?……」

「真っ白い花なの、いっぱい。丘の上が真っ白い花でいっぱいなの」

「……きっとマーガレットの花だね」

「花の向こうから誰か歌いながらやって来るの。ぼんやりとして誰だか分からないのだけど……、でも幸せでいっぱい」

「誰かが君のために幸せを運んでくるんだよ。きっとそうだ」

亮介は咲紀の後ろ髪を見ながら，そう願わずにはいられなかった。

「ね、どうして奥様と一緒に居ないの？」

不意に言われて、亮介は咲紀の想いの奇抜さに戸惑った。

「……近くに居るよ、ほらここに」

「うそ。……近くって、下田でしょ？」

「どうして？」

「だって昨日、奥様に逢いに行ったのでしょう？　……どうして連れてこないの？　かわいそう、奥さま」

「……そうかな……」

「そうよ。おじさまは男だもの」

咲紀は、返答に困ったとき、虚空に向かって少年のような眼差しを向ける亮介が好きだ。

「今度は奥様と一緒に来るといいわ」

咲紀は悪戯っぽく言って亮介の懐から抜け出した。


朝食を終えると、咲紀はなんだか亮介のことが眩しくてひとり外へ出た。

昨日のことで訊きたいこともあるが口にする勇気がない。

港へ行くと堤防の近くにモモが座り込んでいた。青い空の下で海がキラキラと輝いている。咲紀はモモの隣に座った。

「ねぇモモちゃん、あなたいつも一人で寂しくないの？」

「そりゃぁね。……みんなだって自分のことで精一杯だからね」

「この村に好きなワンちゃんはいないの？」

モモはガハハハと笑った。

「愛とか恋とか、人間が考えることでしょ」

「あら、そうかしら。モモちゃんだって好きな人と結婚して赤ちゃん産んで……」

「産んだって子供は直ぐに何処かへ貰われて行っちゃうからね」

「哀しくないの？……」

「そんな訳ないでしょう。親と一緒にいたからって幸せになるとは限らない」

「そうかなぁ」

「貰われ可愛がられて育ったらそれも良しと言うべきでしょう」

咲紀はため息をつき遠くへ目を移した。

シルエットになった向かい側の堤防の上を誰か歩いている。

何気なく見ているとその人影はこちらに向って手を振った。咄嗟に咲紀は立ち上がった。

それは紛れもない父だった。

何か叫んでいるが聞こえない。咲紀も手を振った。父は堤防の石段を海面まで下りるとそのまま海の上をこちらに向かって歩き始めた。

「お父さん！」

咲紀は両手を差し出して父を待った。だがもう少しのところで父の姿は海に溶けるように消えていった。


その日の夕食が終わってからだった。珍しく若主人が話しかけてきた。

「あの……申し訳ないんですが、休日は釣り客が多いもんで……その……部屋を……ひとつにして頂く訳にはいかんでしょうかね」

「ご家族と聞いていたもんで……今夜からお願いします」

老婆が後ろから駄目押しをする。亮介が返答に困っていると、

「いいですよ。……ね、お父さん」

と咲紀が亮介の目をのぞくようにして言った。

「あぁ、まあ……」

亮介は返事を濁しながら、お父さんと呼ばれたことにショックを受けていた。久しく呼ばれていない言葉だった。

若主人が手伝って咲紀の布団がそのまま亮介の部屋に移された。

亮介は娘が戻ってきたような不思議な思いがした。

その夜、亮介は一言も口を利かず深夜までテーブルに向かって書き続け、咲紀は布団の中で亮介の背中を見ているうちに眠ってしまった。

《四月十六日・土曜日》　人形の涙

中木に投宿してもう四日になる。

きっと昨夜も遅かったのだろう、亮介はなかなか起きる気配がない。

咲紀はそっと布団をたたむと部屋を出て階下の食堂へ行った。二人の食事が残されているだけで誰もいない。連泊しているうちに宿の者も何も言わなくなった。

咲紀は一人で食事を済まして港へ向かった。自分が居ることで亮介のペースを乱したくはなかった。

港の堤防まで行くと、待っていたかのようにモモが近づいてきて、しっぽを振りながら歩き始める。

「あら、モモちゃん何処へ行くの？」

咲紀は黙ってモモの後に従った。

モモは重そうな体をヨタヨタさせながら岬の崖下まで行くと、二日前に行ったことのある磯に降りた。

「ねぇモモちゃん、何処まで行くつもり？　待ってよ！」

咲紀は足下を選びながらモモの後を追った。

「早くこっちに！」

モモの呼ぶ声が聞こえた。

咲紀はやっとモモの傍に辿り着いた途端、岩に足を取られて転んだ。

その目の先に一体の人形が横たわっていた。

「まぁこんなところにお人形さん！……」

咲紀は近づいて一瞬ぎょっとなった。

青白い人形の顔を何処かで見た憶えがあった。

「そうだ！　あの時の……」

一緒に遊んだ子供のことを想い出した。

咲紀は頭から血が引くのを覚えた。よく見れば見るほど人形ではなく、間違いなく子供の死体だった。

「ほらあちらにも！」

咲紀は震えながらモモの叫ぶ岩陰を見た。そこには母親と二人の子供が重なるように横たわっていた。咲紀は反射的に崖の方を見上げた。新緑の樹の茂みの上には澄んだ青空が広がっている。

咲紀は震える手で女の子を抱き上げ、額にまとわりついた髪を揃え、青白い頬を撫でた。閉ざした口元がまるでひな人形のようだ。

「ねぇ、笑って……」

咲紀は堪えきれなくて抱いたまま泣いた。

どんなに強く抱きしめても、もうこの子は美しい空を見ることも、打ち寄せる波の音を聴くことも出来ない。青ざめて閉じた唇はもう二度とあの喜びの声を発することもないのだ。

「潮が満ちてこないうちに早く村へ……」

モモに促され、咲紀が女の子を抱いて村へたどり着いたとき、最初にその異常さに気がついたのは、畑から野菜を摘んで下りて来た村の老人だった。

「どうなさった！」

老人は咲紀の腕の中でぐったりしている子供を見て息をのんだ。

「冷たいの、この子。……あんなに楽しく遊んでいたのに……もう動かないの……」

老人は背負っていた野菜篭を投げ出して村へ駈けた。やがて一人が二人になり、影を潜めていた村人たちが浜に現れ、騒ぎが大きくなっていった。


子供三人と母親の心中死体は、村人たちによって収容された。親子が投宿していた村はずれの民宿に、母親の書いた一通の遺書が残されていた。それはお世話になった民宿への詫びと、夫が罪もない幼子の命を奪ったことへの謝罪を切々と綴ったものだった。更に夕方になって宛名のない手紙が村の郵便ポストの中で見つかった。誰かの悪戯と思い集配員が開いてみると、しっかりした文字でこう書かれていた。

「この手紙を誰に出したらよいのか分かりません。お母さんがかわいそうです。でもわたしには、お母さんに何もしてあげることが出来ません。わたしはどうしたらよいですか。お母さんを助けてあげたいです。お母さんを助けてあげたいです」

同じ言葉が二度繰り返されている。誰に相談することもなく、岩場で無邪気に遊んでいる弟妹を見ながら、黙って母親の側に寄り添っていた女の子。咲紀は何度も何度も想い出しては、亮介の懐で泣いた。

《四月十七日・日曜日》　哀しき償い

空と大地は表情一つ変えない。

いつものように太陽は輝き、海辺には波が寄せては返す。

母子心中があってから、咲紀と亮介の存在も何かと話題になった。いつもは平静を装っている村の住人たちは、死んでいった母子たちへの恨み言は何一つ言わないのに、母子が投宿していた民宿に対しては厳しい声を投げた。「何故、自殺するまで放っておいたのか」「お客の面倒も十分に見ないで」

共同体を柱とする村人たちには、事件の発生は命取りになる。亮介も一人旅で何度か投宿を断られたことがある。一人では面倒な割りには利益が上がらないことが理由と考えていたが、ある民宿の親父は本音を言った。

「理由はそんなんじゃないです。看板を掲げている以上、例え一人でも泊めてやるのがスジだと思ってはいる。でも、矢張り一人旅というのは警戒する。一人で旅をする者には何か暗い影がある。そして、そのうちの何人かは自殺や未遂といった、忌まわしい事件に繋がる」

その親父は更に続けた。

「わしらが恐ろしいのは事件を引き起こした宿と言うことで、客が減ることと村の者からも白い目で見られることだ」と言った。

人里離れた中木にも、何台ものパトカーや新聞記者がやって来た。そして、心中の発見者が、都会からやって来た若い女性というのが、また人目を引いた。当然、咲紀も警察や新聞記者から質問を浴びた。咲紀が恐れたのは、自分の名前が報道され、万一祖母の目にふれたら……ということだった。

昼頃届いた新聞には、『憐れ悲惨な母子心中！』の見出しで大きく載っていた。夫が集団登校中の小学生の列にダンプカーで突っこみ、七人の死傷者を出し、自動車運転過失致傷容疑で現行犯逮捕され拘留中であること、家族には親族から捜索願が出されていたことなどを伝えていた。

咲紀は自分の名前がどこにも載っていないのを確認して胸をなで下ろした。

二人の幼子を傷つけ、五人の命を一瞬にして奪ってしまった夫の罪の深さに絶えられず、家族の命を持って償おうと考えた妻の哀しさが咲紀の胸を締め付けた。

やっと小さな光が差し始めていた咲紀の心にとって、事件はあまりに大きな衝撃だった。部屋の隅でふさぎ込んでいた咲紀は、亮介が黙したままテーブルに向って原稿用紙を広げるのを見て、そっと部屋を出た。

夕陽に輝きながら波がゆったりと小石を洗っている。大きさは違うがみんなまろやかな形をしている。きっと何千年も昔からここに存在し、ただひたすら自然のなすがままに波に洗われてきたのだろう。咲紀は眺めているうちに、幼い頃父が連れて行ってくれた海で、ぬいぐるみのクマさんに似ている拳ほどの石を拾って帰り、机の上に置いていたことを思い出した。

——そうだ、あの石のクマさんは何処へいってしまったのだろう。

今なら生まれた海へ帰してあげたいが、何処の海だったのかも思い出せない。

ただひたすら繰り返す波に揺られている小石を見ているうちに、涙が咲紀の頬を濡らした。

——わたしはなんで泣いているのだろう。

人の亡骸を見たのは父と昨日の子供たちの二回に過ぎないが、何故か渋谷の街を埋める人の群れが目に浮かんだ。恐らく東京は今も干し上がった砂漠のようにカラカラになり、街に溢れる人間は砂粒のように乾ききっているに違いない。どの顔も人恋しそうな表情を見せながら愛を求めてさ迷っているのだ。波に洗われる砂のように、人はみんな生きているだけで寂しく哀しい存在なのかも知れない。

過去の記憶をぬぐい去ることも出来なくて、ただおろおろと広い海の波間にさ迷う自分の肉体を抱きしめてみる。どんなに逆らってみたところで、コーヒーカップに落とした砂糖のように、人生の渦に翻弄されながら、やがては溶けて消えてしまうのだ。

——早く早く、早くしなければ消えてしまう。

咲紀が部屋に駆け込んだとき、亮介は窓辺に立って相変わらず遠い海を眺めていた。

「おじさま！」

咲紀は切れ切れの声で叫んで亮介の胸に飛び込んだ。

「おじさま！　わたしをぎゅっと抱きしめて！」

亮介は戸惑いながら震える咲紀を抱きとめた。

「どうした?」

「もっともっと強く抱きしめて! 骨が折れるくらいにぎゅっと!」

言われるままに咲紀の身体に回した腕に力を込める。

「海を見ていたら、消えてしまいそうになったの」

「……消えてしまわなくて良かった」

亮介はそう言って、むしろ自分の存在を確かめるかのように強く咲紀を抱きしめた。

咲紀は小学生の頃、学校から帰ると真っ先に会社にいる父のところへ走った。父はどんなに忙しくても抱き上げ、骨が折れるくらいぎゅっと抱きしめてくれたものだった。頬ずりされると、伸び始めた髭がチクリと刺して、咲紀はよく声を上げて逃げたものだった。

「お父さん、痛い!」

父の愛情は悲しみと共に快い痛みとなって咲紀の体に刻み込まれている。

《四月十八日・月曜日》　残照

事件が起きてから咲紀の様子が不安定になってきた。

このままでは咲紀の心の海には穏やかな日はやって来ないだろう。

亮介はあまり多くもない荷物をまとめて咲紀の手を取った。


中木でバスに乗った時から、亮介はいつ切り出そうかと心が揺れ続けた。がら空きに近いバスの後部座席に並んで座りながら、咲紀は外を眺めたまま黙りこくっている。やっと咲紀が聴き取れない位の小さな声で言った。

「おじさま、何処へ行くの？」

「……君は東京へ帰りなさい」

亮介は咲紀が口火を切ったことから思い切って言った。察していたのか咲紀は返事もしないで下を向いた。窓外には波立つ海の景色が流れている。

「何時までも旅をしている訳にはいかない。君はまだ若いんだ。これを機会に東京へ帰って新しい生活を始めなさい」

「いやです」

「このままでは君は益々不幸になっていく。新しい場所を……新しい希望を見つけるんだよ。東京なら生きるべき場所がまだ幾らでも見つかる」

「……おじさまはもうわたしが厄介になったのでしょう」

「そうじゃない」

「そうよ。一緒に居るのが嫌になったのよ」

咲紀は俯いたまま涙をこぼした。

「……ひとりで……ひとりで帰れというのなら……死んじゃうから……」

亮介はせめて西伊豆の松崎までと決めていたが、咲紀の気持ちに負けて伊浜で降りることにした。

遠い岬と岬の間に荒涼とした風景が広がる。外海に面し潮風に晒されるこの地域は小さな港と石壁に囲まれた集落がある程度で如何にも淋しげな海岸だ。

バスは山上の国道からなだらかな坂道を下り、石壁と石畳に囲まれた細い路を縫うように走り、港近くの広場で止まった。辺りは静かで人影すら見当たらない。

バス停で降りたのは二人だけだった。

——兎に角、泊まる宿を探さなければ……。

亮介は狭い路地を迷いながら、どうにか石垣の奥に『居作』の看板を見つけた。

玄関に立って何度か大きな声をかけたが、のっそりと出てきたのは八〇歳位の白髪の老人だった。

老人は二人をじろりと見て一度奥へ引っ込んだが、またのっそりと戻ってきて、表情も変えず「いいですよ、どうぞ」と言って二階へ案内した。

親子なのか兄妹なのか……都会人は良く変な組み合わせでやってくるし、少なくとも一人でないので断ることもないと思ったのだろう。

薄暗い廊下に扉が四つ並んでいる。民宿が流行り、収入を当て込んで増築された部屋だということがはっきり読み取れる。

老人は一番奥の部屋に案内すると、

「直ぐお茶を持ってきますから」と言って下がっていった。

部屋に入るとしばらく使っていなかったのか畳の蒸れた匂いがする。

亮介は「まぁ今日の所はこれで我慢するか」と独りごとを言い、窓を開けて腰を下ろした。眼前の港から潮風が吹き込んでくる。

「ここに泊まったことあるの?」

咲紀が亮介の傍に寄ってきて外を眺めながら言う。

「ずいぶん昔だけどね。こんな作りじゃなかった気がするけど……」

二人が手持ちぶさたでいると「お茶をお持ちしました」と声がして、若奥さんらしい女性が入ってきた。

「よくおいで下さいました。……殺風景なところでしょう」

「伊浜は昔とあまり変わっていませんね」

亮介は十数年前のことを想い出しながら訊いた。

「あら前にも来なさったことがありますか」

「昔といったって地震が起きる少し前ですけどね」

「そうですか。この辺りはそれ程じゃなかったですが、中木は酷かったですからね。以前は民宿もブームでお客さんも結構ありましたがね。最近は大したことはないです。……お夕食は七時でよろしいですか、隣の部屋に用意します。お風呂は離れにありますが、六時には入れますので。……まぁ、ゆっくりして下さい。それからこれ、書いといて下さい」


若奥さんは一方的に言うと一冊のノートを置いて出ていった。形ばかりの宿泊名簿である。原則的には記録することになっているようだが、民宿によっては名前も訊かないこともある。


咲紀はノートを取り上げるとページをめくった。かなり古くからの記録で、手垢と共に結構書き込まれている。殆どは東京方面からだが、中には名古屋、神戸といった住所もある。それも殆ど二人から四人位のグループが多い。

「おじさまの住所は？」


咲紀に訊かれ、亮介はためらいもなくマンションの住所を言った。咲紀は住所を書き、その下に、『深津亮介、妻・咲紀』と記した。咲紀は書きながら、亮介の方を見て小さくククク……と含み笑いをした。

「どうした」

「ないしょ」と言ってノートを閉じた。

咲紀に何か変わった様子があると、亮介は決まって「どうした？」と訊くのが口癖になっている。

咲紀はまたククと笑った。

　何でも良い、咲紀に笑顔が戻るならそれだけでいいと亮介は思った。

＊　＊　＊

　京子がノートに書きながらフフフと含み笑いをした。

「なに？」と亮介が覗こうとすると京子は嬉しそうにノートを抱きしめて隠そうとする。亮介が覆い被さるようにして取り上げて見ると、〈妻・京子〉と書いてある。

「こいつ！　まだ結婚していないぞ！」

　亮介は京子の首へ腕を回すと畳にねじ伏せた。

「いたいよッ！　止めて！　わたし深津という名前が好きなの」

「僕は……京子という名前が好きだ」

　二人は抱き合って転がりキスを交わした。

「亮介さんの赤ちゃんが欲しい」

「僕も欲しい」

「どっちがいい？」

「……君に似た女の子がいいな」

「わたしは男の子」と亮介の両耳を引っ張る。

「じゃ、ジャンケン」

「馬鹿ね」

「何人くらい？」

「いっぱい！」

「いっぱいって、どのくらい？」

「一ダース！」

「それじゃ毎晩しなくっちゃ」

「いやね」

「身体が持つかなぁ」

「生むのはわたしよ」

「頑張ってください」

亮介は茶化すように言って京子に被さり優しく唇を重ねた。

「……わたしね、一人っ子だったでしょう。だから兄妹がいっぱい欲しい。『みんな静かになさい！』って怒ってみたいの」

「騒々しいことだろうな」

「泣いたり、笑ったり、怒ったり、のびのびとした明るい家庭にしたい」

「僕は子供には好きなことを自由にやらせてあげたい。それにはまず子供の望みに応えられるだけの家庭環境をつくらなくちゃならない」

「賛成！」京子は手を挙げた。

「僕は小さい頃から写真や映画が好きだった。でもカメラなんて触ることも出来なかった。絵を描きたくても油絵の具は高くて買えなかったしね。ピアノが弾きたくても遠くから見ているしかなかった……」

「でも何でも手に入っていたら、今の亮介さんはいなかったかも知れない」

「そうかも知れないけど、子供にだけはそんな思いをさせたくない」

「分かるわ。才能を持っていてもそれを花開かせる環境に無ければ、結局はただの人として埋もれて死んでいくんですものね」

「せめて絵の具くらいは買って与えられる親でいたいもんだ」

「賛成！　頑張ってね、将来のお父さん！」

「では将来のお母さんのために乾杯！」

そう言って亮介は京子を抱き唇をふさいだ。

*　　*　　*

夕方近くなって風も止み雲の切れ間に青空も覗くようになった。

日が沈む頃になって亮介と咲紀は海辺へ出た。広い空と海の間に岩だらけの海岸が岬に向かって真っ直ぐ延びている。二人は村はずれまで歩いて、防潮堤（ぼうちょうてい）の上に並んで座った。

「寂しいところね」

「天気が良い日だとそうでもないよ。吉佐美みたいな綺麗な砂浜はないけど、男性的で力強く、時にはこんな海も良いもんだよ。……そうだ、明日は天気も良さそうだから素敵なところへ連れてってあげようか」

「え、ここにそんなところがあるの。どんなところ？」

「それは内緒、少し歩くけどいいかい」

「いいわ、行きたい！」

咲紀は立ち上がり焼けていく空へ向かって大きく深呼吸をした。

《四月十九日・火曜日》 黒い入道雲

空は晴れ、海も穏やかだ。潮風が柔らかく頬を撫で心地よい。

二人は海岸線に平行するように続く丘の上の細い草道を岬に向かって歩き続けた。岬の付け根に至ると今度は急な坂道を登る。

見晴らしが良くなり一面に真っ白いマーガレットの段々畑が広がる。

咲紀は疲れを忘れて声を上げた。

「すてき！　なんて綺麗なの！」

子供のように叫んではマーガレットの花の間を踊り、はしゃいだ。

南伊豆は比較的冬でも温暖なためマーガレットの露地栽培が盛んだ。特に伊浜の東側に位置する波勝崎（はがちざき）の東斜面は、朝早くから陽が当たるためマーガレットの畑が多い。最も盛んだったのは一九六〇年代から八〇年代頃にかけてで、日本一を誇っていた。一九七二年には山の中腹に有料道路が開通し、マーガレットラインの愛称で呼ばれるようになったほどだ。平成時代に入って次第にハウス栽培が増えてきたが、今日でもマーガレットの栽培が盛んなのに変わりはない。地味な花だが春先の切り花として人気は高い。

咲紀の喜ぶ姿を見ながら、亮介もまた天草の野山で遊んだ遠い少年の日を想い出していた。

「おじさま、花占い知ってる?」

マーガレットの花言葉は『恋占い、心に秘めた愛、誠実、貞節、予言』。

咲紀はマーガレットの花を一輪採って占いを始めた。

「好き。嫌い。好き。嫌い。……好き。嫌いじゃない。……好き。少し好き。好き。大好き。……」

「インチキだな」

咲紀は笑いながら続けた。結果は、大好きで終わった。

「ほらね!」咲紀は叫んで走り出した。

「こら! インチキめーっ!」

二人は子供のようにはしゃぎながら木の茂みを突っ切って崖上の展望台へ出た。

「おじさま早く! あんな処に舟がいる!」

舟は、『居る』と言うのか。亮介はなんだか幼子の言葉を聞くようで、懐かしく思わず微笑んだ。娘が良く「あ、自転車がいる!」なんてことを言ってたものだ。青い空と海はあまりにも広く、舟は豆粒ほどにしか見えない。

「どうして人間には羽がないのかしら」

咲紀がまたおかしなことを言う。

「羽があったら、ここからこの広い海の上を飛んでいくのに……。ねぇ、おじさま、私も鳥になってみたい」

咲紀はそう言って両手を広げて羽ばたいて見せた。その可憐な仕草を見ながら、亮介もまた咲紀と手をつないで思い切り大空を自由に羽ばたいてみたいものだと思った。

「あまりはしゃいでいると危ないよ。この崖から落ちて死んだ人だっているんだから」

亮介が思わず漏らしてしまった言葉に、咲紀の動きが止まった。やっと心の底に封じ込めていた母子心中の哀しみが、また重しを押し上げて顔を出したのだ。咲紀の心の隙間を覗いて動揺した瞬間、亮介は足下の小石を踏んでよろけてしまった。

「おー痛てっ！」

振り向いた咲紀が笑いを取り戻した。

「おじさまこそしっかりして！」

亮介は大袈裟にびっこをひきながら一緒に笑った。咲紀は、子供のようにキャッキャッと騒ぎながら、マーガレットの花畑を抜けて峠の方へ走った。

峠を越えると、木々の茂みの間に、丸太を横に並べた坂道が下へと続いている。清水が道の両脇にしみ出ていて、天気の良い日でも滑りそうだ。雨上がりでは、恐らく危険で歩くのは困難だろう。そんな山道を咲紀は小躍(こおど)りするように下っては、後からゆっくり来る亮介に、

「おじさま早くーッ！　転ばないでねーッ！」

と、つまらぬことを叫ぶ。

——もしあの娘が自分の娘なら……。

少なくともあのとき、あんな事さえ起きていなければ、今頃妻と並んで歩きながら、我が娘の飛び跳ねる姿を見ることが出来たはずなのだ。亮介の胸の奥で治りかけていた傷がズキッと痛んだ。

二人はハイキングコースを一時間あまり歩いて、やっと波勝崎の駐車場に着いた。ここだけは珍しく人であふれている。明るい光を浴びて広がる林の間を急カーブの道が下へと続き、その落ち込んだ所が、野猿の生息地だ。と言っても、伊浜村の肥田与平氏が昭和三十二年に餌づけを始めて評判となり、東京や静岡からやって来るドライバー達の観光スポットとなったところだ。十数年前、亮介が京子とやって来た時には、まだ国道も舗装されておらず、荒れたままだった。

更に崖の方へ下って行くと松林の中で野猿たちが遊んでいる。観光客が投げるピーナツを取っては口へ放り込み、中にはバッグの取り合いで互いに悲鳴を上げている連中もいる。『猿の目をあまり見詰めないで下さい』と書いた立て看板があった。目が合うと猿は歯をむき出し、威嚇(いかく)してくる。咲紀は我が物顔に歩き回る猿を怖がるようにして、亮介の手に縋(すが)りついて離れようとしない。

そんな騒々しい林から少し離れたところに動物園のような檻(おり)があった。十数匹の猿が囲われており檻の間から手を伸ばして咲紀に助けを求めてくる。咲紀は急に哀しい表情になり口を噤(つぐ)んでしまった。

亮介はそんな咲紀を松林から海の見える陽溜まりに促した。そこへも捕らえられた猿たちの哀しい鳴き声が届いてくる。

「彼らは、悪戯がひどくて囚われたんだ」

「……」

「餌づけをする前まではボスが居て、一定の秩序を守った生活をしていたらしい。数が増えることもなければ減ることもなかった。所が餌づけで食糧に困らなくなったらどんどん増えていき、ついには群れ同士の権力争いが起きるようになった。その結果、負けた一群がこの波勝崎を追われる羽目になってしまったんだ」

咲紀は膝を抱え込んだまま黙っていた。

「群れを追われた彼らは、伊浜の村に出没するようになり、干してある魚や家の中にまで入り込んで、食べ物を略奪するようになったんだ。村では鍵をかけるなんてことはしないからね。あまり悪戯が酷いので、思いあまった村の人たちが、ついには彼らを捕獲して、あの檻の中に閉じ込めてしまったという訳なんだ」

この話も、亮介が前に訪れたとき伊浜の古老が話してくれた。

「猿というのは偉いもんだ。学者さんの話によると、食べ物の量によって産児制限をしているらしいんだな。数が増え過ぎれば食糧に困って餓死する猿も出てくる。それをちゃんと解っていて、ある一定以上は増えないようにコントロールしているって言うんだ。種族保存の法則とでも言うのかね」

亮介は自然のバランスの妙に感心したものだった。産児制限なんて人間が考えることだが、猿は本能的に知っているらしい。いつの場合もこのバランスを崩して不幸を持ち込むのは人間なのだ。

咲紀は口数少ないまま、帰りの峠のマーガレット畑に差しかかると、「疲れちゃった」と言ってだるそうに座り込んでしまった。

「ちょっと強行軍過ぎたかな。……少し休んでいこうか」

亮介はヨイショッと咲紀を抱き上げ、花畑の隅に立つ松の木陰に運んだ。咲紀は亮介の首に腕を回して身体を預けた。

海水浴に行った幼い日、陽に当たり過ぎて父に抱かれて海の家へ運ばれたことがある。父の首に縋りつきながら、気だるい意識の中で幸せいっぱいだった。その父ももう居ない。「お父さん……お父さん……」咲紀は心の中で何度か呼んでみた。

「陽に当たり過ぎたかな……」

「うん」

膝の上で咲紀は頷いた。投げかけたその体が熱い。亮介は火照(ほて)った額に手を当てた。

「もう何日になるかな、君と逢えて。……いろいろと楽しかった……」

「おじさまに遇えてよかったわ」

「最初はこの娘は何だろうと思ったけどね」

「わたしだって、このおじさま普通じゃないと思ったわ」

「変わり者同士でよかった」

亮介は小さく笑った。

「ところで、君は何時までこんなことをしているつもり?」

咲紀は急に黙り込んだあと、間をおいて、

「明日のことなんか分からない。……」

と言って顔を伏せた。亮介も心の中で頷いていた。

傾いた陽光を受けて、茜色に染まりかけた妖しい入道雲が二人を見ていた。

* * *

あれは暑い夏の日のことだった。

小学五年生だった亮介は、友だち数人と褌(ふんどし)ひとつで泥んこ遊びをしていた。有明海は遠浅なため、潮が引けば至る所に干潟(ひがた)が現れ、夏は子供たちにとって最高の遊び場となる。単に遊びの場というより、むしろ貝やエビ、シャコなど貴重な食糧を与えてくれる恵みの畑といって良かった。亮介は飛び出したシャコを追いかけながら、一瞬体が熱くなったような気がした。泥だらけの顔から白い目玉をギョロつかせ、辺りを見渡したが誰も気がついた風ではなかった。「気のせいか?……」と思った瞬間だった。「ダーン!」という重い音が響いてきた。

みんなが棒立ちになった。

「爆弾が落ちたぞ!」

咄嗟に、亮介たちはぬかるみに足を捕られながら松林を目指して走った。やっと松林に辿り着き村の方を見回した。が、何処にも煙が出ている様子もない。

「爆弾じゃなかったとじゃろか」

「爆弾じゃなかなら、あん音はなんや」

夜は定期便のように、毎日、本土を爆撃するＢ２９の編隊機が天草の真上を通過するので、空襲警報には慣れていたが、その日はサイレンの音も聴いていなかった。辺りを見渡していた亮介は、海の向こうに黒い入道雲が立ち上がっているのに気がついた。

「?……」

亮介は黙って指さした。

みんなもつられて見た。

まっ黒い入道雲が生き物のように、天に向かってもくもくと立ち上がっていた。

「なんや、あげん入道雲は見たことがなかね」

天草では夏の入道雲を見るのは至極あたり前のことだ。晴れていてもあっと言う間に夕立になったりする。だがその日、真っ青な空に現れた黒い入道雲は、まるで遠くの島に生えた大きなキノコのようだった。

「気味が悪かー」

「早う帰えろう」

みんなは家に向かって走り出し、一人残った亮介は、憑かれたように何時までも眺め続けた。

夕方になって、どうやら長崎に新型爆弾が落ちたらしいという噂が広まった。みんながピカドンと呼び、それが原子爆弾だと判明したのは数日も経ってからのことだった。

黒い入道雲が現れて六日目、村民はラジオのある家に集まるようにおふれが出た。当時まだラジオも珍しく、近所に一台だけあった雑貨屋の奥座敷にみんなが集まった。亮介はラジオ見たさに母について行った。

正午になって、ラジオからは不思議な日本語が流れてきた。亮介には全く意味が分からなかったが、大人たちはその声を拝むように聴き、畳に頭を押しつけて泣き崩れた。どうやら日本が戦争に負けたのだ、と言うことだけは亮介にも理解ができた。

時間が経つにつれて、ピカドンという恐ろしい爆弾が長崎の街を一瞬にして焼き尽くし、まるで地獄のようになっているということがはっきりしてきた。母は消息が途絶えた妹家族を心配して、ひとりで長崎へ出かけて行った。そして一週間が経った頃、全身に火傷を負い包帯にくるまれた妹、つまり亮介の叔母と、その子供二人をつれて戻ってきた。十三歳の女の子と、亮介と同い年の男の子だった。叔母と女の子は火傷が酷く、包帯を取り替える度に、赤い肉が現れ悲鳴をあげた。包帯は肉汁のせいか、母が何度洗ってもコールタールがこびりついたような黒い染みがとれなかった。付けるべき薬もなく、叔母は五日後に息絶え、女の子も一週間後にその後を追うように死んだ。間もなく男の子も髪が抜け落ちて丸坊主になり、近所の子供たちに苛められて逃げ回っていたが、やがて走る元気もなくなり、歯茎から血を流したまま死んでいった。黒い入道雲が現れてから僅か四ヶ月の間の出来事だった。

その後、気落ちしたのか母がよく寝込むようになった。そして寝たり起きたりの生活が一年余り経った夏、戦地からの父の帰国を待たずにこの世を去った。放射能による二次被爆が原因ではないかとも言われたが当時としてはまだ何も判っていなかった。

そんな哀しみのどん底にいたとき、亮介はお寺の本堂で開かれた巡回映画を初めて観た。一枚の白い布に映しだされた不思議な世界は、亮介の心を大きく揺さぶった。その時の感動が亮介を映画やテレビに駆り立てる原点となったのだった。

黒い入道雲と親戚の母子三人の悲惨な死と母の死の記憶は、今でも亮介の胸に深く刻まれたままになっている。演出を手掛けるようになって、ドラマにしたくて何度かシナリオを書いたが、娯楽路線を目指すテレビ局の企画に乗ることなど望むべくもなかった。ならば何時か「必ず小説に書く」そう心に決め、亮介はずっと温めてきた。その思いに再び火を付けたのが京子だった。

たまたま彼女が長崎出身であり、叔父叔母を始め親戚の多くを原爆で亡くしていることが分かったからだった。

「当時わたしはまだ五歳で、あまり戦争の記憶はないけど、市内だったお陰で被災を免れたわたしの家に、恐ろしい姿の従姉妹達がいっぱいやってきたわ。母たちが必死になって手当をしていたことを憶えているけど、中学、高校生になって原爆の悲惨さを知るにつけて、戦争の残酷さに震えがきたわ。罪もない一般市民を殺しても許される正義とは一体何だろう、どうしてこんな酷いことが人間には出来るのだろうか、と悲しみよりも憤りを憶えたわ。時が経てばみんな忘れられてしまう。決して忘れてはならないことなのよ。亮介さんが戦争の悲惨さを書き残したいと思い続けていることは尊いことだと思う。死んでいった多くの人たちのためにも是非とも書いて欲しい」

「僕のライフワークなんだ。死ぬまでには必ず小説にまとめて残したい」

「必ず実現して。わたしもお手伝いするわ。約束よ」

その約束の期限が急に目の前に迫ってくるとは思いもよらないことだった。

＊　＊　＊

亮介は、咲紀の体を膝の上に抱いたまままうとうととしたらしい。陽が陰り、海から吹き上げてくる潮風が肌を射すようになった。亮介が我に返ったら、見上げる咲紀の瞳が笑っていた。

「……見てたのか……」

「そう。まるで子供のようだったわ」

「酷い娘だ。下から鼻の穴でも見ていたのだろう」

「まあね。でも発見だったわ」

「何が」

「鎌倉の大仏様みたいだなって」

「大仏様か……それ褒めてるつもり？　もっとスマートなイメージはないのかな」

「大きくて優しくて力持ちで、仏様みたいだな、ってこと」

「スッキリしないなぁ。……ま、いい。それより気分の方はどうなんだい。褒めたって負ぶっては帰らないからね」

「もう脚が動かないの」

「騙されないぞ！」

「本当なの。もう帰れない」

「じゃ、置いていくか」

「いやいや！　ね、お父さん、負ぶって！」

「おとうさん？　仕方ない」

亮介が背中を向けると、咲紀は嬉しそうに負ぶさった。

「重い！　少し痩せなきゃ」

と立ち上がって坂を下り始めたが、よろけてマーガレットの花畑に転げてしまう。

「きゃーっ！　お父さんしっかりして！」

咲紀の嬉しそうな悲鳴が海風に乗って空へ吸い込まれていった。

《四月二十日・水曜日》　嵐

亮介は朝起きるのが遅いので、待ちきれない咲紀はぶらぶらと村の探索を始める。

海側は防潮堤に囲まれた小さな港が一つあるだけで直ぐに飽きてしまう。なだらかな山の裾野にへばりつく石壁と石畳の路地は迷路のようで楽しいが、坂が多く脚の弱い都会人にはちょっと酷だ。更に上の方にはビニールハウスらしい白いものが幾つも見えるがそこまで上がるのは勇気がいる。

咲紀は歩き疲れて宿へ戻ってきた。亮介の姿は消えていた。宿の若奥さんにそれとなく訊いてみた。

「何だか急いでいらっしゃいましたよ」

「え？　散歩じゃないの」

「そう言えばちょっと辛そうな顔をなさってたような……」

「何かあったのかしら……」

咲紀は数日前、中木の宿で盗み見た原稿用紙の文字を思い出した。不安な気持ちがどっと吹き出してきた。


亮介は夕方になっても帰ってこない。

空模様が怪しくなっていたが、夜になると海よりの風が強くなり雨も混り始めた。崖上の木々が唸り、宿の直ぐ前の岩壁にも激しい波が襲ってくる。咲紀は亮介の帰りを待ちわびながらますます不安になってきた。黙って姿を消したのはこれで二度目だ。それもこんな天気の悪い日に限って。潮が満ちてきたのか荒れ狂う大波が時には防潮堤を乗り越えて硝子窓を叩くほどになり、咲紀は恐怖のあまり部屋を出て階下へ行った。小、中学生らしい子供二人に若い旦那と老夫婦がテレビを観ている。

「お一人じゃ寂しいでしょ」

こんな天気にも慣れているのか、若奥さんは暗い外を覗くようにして明るい声で言う。

激しい雨脚が霧のように煙って母屋の軒を這っていくのが見える。

「最後のバスでお帰りになるんでしょう」

「前線が通過しているということだから、明日の昼までには上がりますよ」

若主人が慰めにもならない声を掛ける。

「さあ、そんなところに立っていないでこっちに来ませんか」

若奥さんの声に、咲紀は助かった思いで部屋へ入りお茶をよばれた。テレビでは明るく華やかな歌謡ショーが展開している。あれが東京の生活だった。一時期、咲紀も人気グループの追っかけをやったこともあったが、大学受験ということで止めた。今そのケバケバしい華やかな画面を観ながら、遠い遠い幻影のように思えてくる。スイッチを切ればただの箱でしかない。人間とは不思議なものだ。嵐をよそに家族は素朴に笑い、その画面に溶け込んでいる。だが咲紀の心の中には不安の雨が降っている。

電話のベルが鳴った。電話に出た若奥さんが「お客さん、電話ですよ」と言う。咲紀は急に心臓の鼓動が高鳴った。

「……聞こえるかい、僕だ……」

遠くで亮介の声が聞こえる。

「いま、下田にいるんだが、この嵐で帰れそうにない……」

「いや！」思わず咲紀は叫んだ。

「一人で行ってしまっちゃいや！」

声が擦れ、震えた。

「モシモシ、聞こえてるかい。明日の昼までには帰るから……必ず帰る、待っていて欲しい、分かるね。……いいかい、じゃ切るよ」

遠くで受話器を置く音がした。

咲紀が受話器を持ったまま呆然と立っていると老婆が、

「この大雨じゃよう帰えれんですよ、崖が崩れることがよくあるのでねぇ」

当然だといった表情で外を覗き、恐怖に怯えている咲紀に、

「今夜は母屋の方で休んだらええ」と言う。咲紀に異存はなかった。

咲紀は布団にくるまれながら亮介のことを思った。

何故こっそりと一人で行ってしまうのか。

——奥さんにでも逢いに行ったのだろうか。否、本当は別れていて……。

小さな考えに火がついて、それが激しく燃えながら嵐の音と共に咲紀の頭の中を駆け巡った。

《四月二十一日・木曜日》 流れ星

雨戸の隙間が明るい。あれほど狂った嵐も去ったらしい。咲紀は家族と早い朝食をとり部屋へ戻った。昨夜は体の中を嵐が吹き荒れ、眠る間もなかった。

――あの人はきっと「一人にして済まなかった。淋しかったかい？」何食わぬ顔でそう言って、私を子供のように優しく抱きとめるだろう。そのとき、私はどうやって抗議をすればよいのだろう。嵐は去ったが咲紀の心の波は静まっていない。

水溜まりに青い空が映り始めた。昼までには必ず帰ると言いながら、亮介が宿に戻って来たのは午後の二時を回っていた。急いで階段を駆け上がり部屋を覗いたが、咲紀の姿はない。待ちくたびれて散歩にでも出たのか。亮介は窓を開けて浜の方を見回したが人影らしいものはなかった。

腕時計を見ると帰ってから既に一時間は経っている。再び窓から海岸を見渡したがやはり咲紀らしい姿は見当たらない。亮介は母屋に行って若奥さんに声をかけた。

「帰りを待ってなさったのに……」

おかしい、と若奥さんは変な顔をし、夕べは母屋で一緒に寝たことなどを話してくれた。それからまた一時間経った。それでも咲紀は戻ってこない。

陽が傾き始め、亮介は胸騒ぎがして咲紀の行きそうな散歩道を探してみた。この小さな村では隠れてさえ居なければ出合わないことはない。亮介は村外れにある神社の境内まで来て思案に暮れた。

——昨日の電話では咲紀はひとり黙って行ったことを咎めていた。もしかしたら咲紀の方こそ東京へ帰ってしまったのではないのか。

亮介は西日を受けて赤く染まる岬の崖上を見上げた。神社の脇から登ると墓地があり、その墓地の前を通って急な坂を登り詰めれば断崖の上に出る。美しい夕陽を眺めるには最適な場所だ。

ひょっとしたら……亮介は息を切らせながら細い坂道を急いだ。

坂の途中に茂る灌木(かんぼく)が切れた岩場が見晴台になっている。亮介が息を切らして辿り着くと、広い海の彼方に、赤く染まった太陽が残っていた。

そこにも人影は無い。

ここでもない。そう思ったとき、海に張りだした岩の上に一足の靴が揃えられているのが目に入った。見覚えのある咲紀の靴だ。「まさか!」亮介は絶叫にも似た声をあげて駆け寄り崖下を見下ろした。夕陽を照り返しながら波が砕け散っている。その白さの中に、いつか港の突堤で見た赤い色が見えた。瞬間、足下の崖が崩れて、亮介は眼下の海へ吸い込まれる気がした。「なんてことを!」靴を抱きしめて震えた時、近くの松の木陰に人影が見えた。一瞬幻影かと我が目を疑ったが、間違いなく素足のままの咲紀が立っている。咄嗟に亮介は駆け寄り、思い切り頬を打ち、骨が折れるほど抱きしめた。

「ごめんなさい!……」咲紀は亮介にしがみついて泣いた。

二人の揺れる影が崖上の夕陽の中で紅く染まっていた。

二人は肩を寄せ合ったまま夕陽に向かって座った。

「君は本当にひどい悪戯をする……」

「一人で行ってしまうなんて……おじさまが酷い。……」

咲紀は、まだ止まらぬ涙をしゃくり上げながら亮介の胸の中で言った。

「君にもしものことがあったら……心臓が止まりそうだった」

「……おじさまが酷いから……」

咲紀はまた同じことを言って涙を拭いた。

「あの豪雨では走ってくれるタクシーも見つからなかった」

「……逢いに行ったのでしょう」

「……」

「私だって、もう大人だから……」

亮介はそっと咲紀の肩を抱き寄せ、額にそっと口づけをした。そして、遠い海の彼方に沈まんとする夕陽を眺めながら、これまで固く閉じていた心の扉を開いた。

「僕の妻は一年前、娘と一緒に死んだ」

ポツリと言って、亮介は声をのんだ。

「……自動車事故でね。十五歳になる娘を助手席に乗せて……妻が運転していたんだ。家の近くの交差点で……トラックが突っこんで来て……娘は即死だったが妻はまだ生きていた。……息が途絶えるまで僕の名前を呼んでいたそうだ」

「……間に合わなかったの」

咲紀は溢れる涙の瞳で亮介を見た。

「……行けなかった」

咲紀には信じられない。

——最愛の妻の危篤にも行けないほど重要な事がこの世にあるのだろうか……。

「妻は死の間際まで、あの人には報せないで、わたしは仕事が終わるまで待っているからって言っていたらしい……」

「そんな哀しいことを！」

——私は愛する人に看取られて死にたい。せめて死の間際位、愛する人の胸に抱かれて安らかな眠りにつきたい。

咲紀は肩を振るわせて泣いた。

「どうして、早く行ってあげなかったの」

亮介は感情を抑えるように黙って咲紀の肩を抱いたままだった。

「おじさまも可哀想な人なのね」

＊　＊　＊

亮介は家を空けることはあまりなかった。殆どがスタジオでの処理が多いため、帰りが遅くなっても一日に一度は妻と顔を合わせることが出来た。妻が家を守り子供を育てることで、亮介もまた安心して働くことが出来た。何よりもお互いが深い愛情で結ばれているという安心感があった。

亮介の父が亡くなったとき、仕事の都合で葬儀を一日延ばしたこともあって、演出という仕事の重さは妻も十分に理解してくれていた。四十度の熱にうなされながら、仕事に出かけたこともある。制作の仕事は、美術や照明、カメラ、音声など、多い時には百人近いスタッフが、網の目のようなスケジュールから調整される。カメラマンや照明など一般スタッフの場合、何か不慮の事態が起きれば、交代も考えられるが、演出と役者はそれは出来ない。数百万、数千万円の制作費がかけられており、一個人の都合で中断することは許されないのだ。何より出演者のスケジュールの再調整は不可能に近い。親の危篤を知らされながら、笑顔の演技を続けた役者は何人もいる。世の中にいろいろな仕事があるとしても、これほどの厳しい立場は他にないかも知れない。妻は自分の死を予感しながら、無事に仕事をやり遂げて帰ってくる夫を待つ以外になかったのだ。

亮介がドラマを撮り終えて病院に駆け込んだのは、妻が息を引き取った後だった。青白い妻の死に顔を撫でながら亮介は涙を流さなかった。その悲しみは涙を遥かに超えるものだった。そして彼を襲ったのは、妻の臨終にも姿を見せなかった、血も涙もない夫という周囲の非難の声だった。それは人間として当然受けるべき非難に違いなかった。人の死より重いものはこの世に存在する筈がない。亮介が涙を堪えきれなくなったのは、火葬が終わり、夜になって一人部屋に籠もった時だった。そっと二つの骨壺を開けてみた。あんなに可愛かった娘。ついこの前まで、その娘の成長を誰よりも楽しみにしていた妻。自分を愛し、抱き合って寝ていた妻の肉体が今目の前に白い骨となって収まっている。人は何故生まれ、死んでいくのか。妻と娘はいったいどこへ行ってしまったのか。あの笑顔は……、柔らかい白い肌をしたあの肉体は……どんなにこの地球の上を探し回っても、もう見つけだすことは出来ない。

葬式が済んで、亮介はがらんとしたマンションに一人残された。部屋にある物全てが色あせ、血の気を失って見えた。

その夜、亮介は二つの骨壺を抱いて寝た。演出家としての亮介を理解し、体の一部となっていた妻と娘の死は、亮介のその後の生活に大きな影を落とした。心の中に出来てしまった空洞は容易に満たされることはなかった。そして、その空洞は肉体にも現れていた。

＊　＊　＊

妻の危篤を知りながら、駆けつけることも出来ない夫。ただ待つことしか許されない妻の悲しみが咲紀の心を揺さぶった。

「……あの交差点を通っていなかったら、通ってもほんの一秒違っていたら、なんて考えることもある。……これが運命とでも言うのだろうか。思い悩んでもどうにもならない。全てが過ぎてしまったことなんだ。……」

すでに海の向こうに太陽は隠れ、幾らか曲がって見える水平線が赤く染まり、紺色に深まっていく宇宙の果てに星が輝き始めた。

もし娘が生きていたら咲紀と同じ年頃だ。亮介は咲紀の肩を抱き寄せながら、命の儚さを思い起こしていた。


――暗黒の中でただ黙って光を放つ無限の星たちは、一体どこで生まれ、どこへ向かって旅を続けているのだろう。いつか宇宙の果てに辿り着いたとき、矢張り燃え尽きて一生を終えるのだろうか。流れ星はきっと哀しい運命を背負った星なのかも知れない。ある時二つの星が出逢い、ほんの一瞬お互いの力で引き合い燃え尽きてしまう。

やがて東の空に満月が上り、崖上に残された二人を明るく照らし始めた。

――宇宙の起源を考えれば、太陽も月も星もこの崖の岩も、樹木も同じ粒子を基に誕生したはずだ。もし人間の体も星や月と同じ粒子の集まりだとしたら、悩み、哀しみ、憎み、愛する心は、一体何処に在るのだろう。もしかしたら、体の中ではなく人と人の間、人と物との間にこそ存在するのではないだろうか。二つを引きつけ、結びつける見えない力、その力こそ愛であり心なのではないだろうか。そしていつか二つを結びつける力が衰え尽きたとき、すべての粒子がバラバラになり形を失う……。それが死であり、粒子となって宇宙へ帰ることではないだろうか。

月の光を浴びながら、亮介は咲紀を抱き寄せ語り続けた。そして更に言葉を繋いだ。

――今ここに自分たちが存在するのは、両親が居たから……、その両親もまたずーっとずーっと何千年何万年もの昔から命を守り繋いできた両親が居たから……。それは子供の頃、運動会で走ったリレーに似ているのかも知れない。前の走者から受け取ったバトンは、次の走者に渡さなければならない。たとえ息が切れ、疲れ、脚がもつれ倒れる事があったとしても……。そうなのだ。私たちは過去から未来へ生命を届けるリレー走者として選ばれたからこそ、この宇宙に誕生したのだ。生きるとは、その走者の責任を全うするということに他ならない。

亮介は最愛の妻と娘を失い、自分の命さえ失うかも知れない絶望の中で、悩み苦しみ考え続けてきたことを一気に語り終えた。

満天の星は益々冴え渡り、輝きを増した月の光が崖上の二人に降り注いでいる。何万年も生命を繋いできた木々や鳥や虫たちが生命の音楽を奏で始めた。亮介はやっと思い出してポケットから包みを取り出し、小さな水晶のイヤリングを咲紀の耳に付けた。

「天から落ちてきた星の涙だよ」

咲紀は嬉しそうに耳を揺らし、立ち上がって亮介に手を差し伸べた。

「おじさま、大人の踊りを教えて」

「大人のおどり？」

「そう、宮殿で王子様とお姫様が舞うような素敵なダンス」

亮介は微笑んで一礼し咲紀の手を取った。

咲紀の耳に揺れる水晶が月の光に煌めき、瞳の中に無限の星が輝いた。やがて二人は羽の生えた天使のように星空に浮かび、月の光を浴びながら踊り続けた。

小さな湯船の中に二つの体は窮屈だった。亮介が入って直ぐに硝子戸の外で声がした。

「おじさま、咲紀も入っていい？……」

亮介がまごついているうちに、既に服を脱いでいたのか咲紀はクスンと首をすくめて、亮介の背後に体を滑り込ませた。

「背中を流してあげるわ」

「そうか。……」

「後ろを見ないでね」

「うん、分かっている」

咲紀はまた、クスンと笑った。どっちが子供だか分からない。咲紀は亮介の体をシャボンでいっぱいにしながら背中を流した。

風呂に入って、ついぞ思い出したこともない過去の記憶が二人の心に甦った。亮介は妻と一緒に良く背中を流し合った頃のことを。咲紀もまた父と一緒に入りシャボンをいっぱいつけて背中を流したことを。この習慣は咲紀が中学を卒業するまで続いていた。親しい良子に話したら、「キャーッ！まだ一緒に入っているの、信じられない！」とクラスでちょっとした騒ぎになったこともある。だって赤ん坊の頃からずーっとそうだったし、咲紀にとっては極く自然なことだったのだから。

「今度は君の番だ」

亮介はタオルいっぱいにシャボンを作り、咲紀の白い背中を流した。柔らかい泡が豊かな肉付きの体を滑る。「美しい」亮介は限りない愛おしさに気が遠くなるのを覚えた。妻が死んで殆ど女の肌を忘れていた。だが、いま目の前に若く美しい妻の肉体がある。

「ねぇ、おじさま。私だってもう立派な大人でしょう」

返事の代わりに、亮介はタオルを捨て泡の感触の中で、咲紀の乳房を包んだ。

「もう一人にしないでね。一人なんて哀しいから！」

狭い風呂場の湯気の中に、すっかり大人になった少女の肉体は白く息づいて眩しい。亮介が逃げるように湯船に入ると、咲紀も体の隠し場所を探すように狭い湯船の中に飛び込んできた。

温かい湯気を透して、咲紀の瞳が輝いている。壁の上に開けられた空気窓から、微かに潮騒の音が忍び込んでいた。


その夜、二人は抱き合うようにして眠った。

ふと巡り遇った男と女の心が繋がり合い、その繋がりを深めるために自分の体をぶつけて混じり合う。その肌と肌の接触の間で、すべての邪念を忘れてただひたすら血をたぎらせ、魂を燃やす。この幸せの一瞬が永遠に止まってしまえばいい。すべての生命の活動が凍結して、広大な宇宙の果てに釘付けにされてしまうといい。流れゆく時の不安を感ぜずに済むならどんなに幸せなことか。咲紀は亮介と共に遙か遠い宇宙への旅に出ることを願った。

満月の光が妖しい命を煌めかせながら、深い眠りについた崖上のマーガレットの花畑に降っている。八分咲きの花弁が月光に身を震わせ、眠りについた草や木が、安らかな寝息を立てる。子守歌のように穏やかな潮騒が山の崖縁にしがみつく小さな村を慰め、遊び疲れた子猫が母猫の柔らかい懐にくるまれて眠るように、咲紀は亮介の懐で深い眠りについた。

長い間、探し求めていた安息の場にやっと辿り着き、脅えていた過去から解放されて、柔らかな日差しの中でのんびりとまどろんでいる仔猫のように。

《四月二十二日・金曜日》　花と虫

深く海の底に沈んだようにぐっすりと眠った。

ゆっくりと光に向かって浮かび上がりながら、咲紀はまどろみの中で亮介の躰をさぐった。夢ではなく隣には確かに亮介が眠っている。愛しあえる人が隣に眠っているだけで、人はこんなにも幸せを感じることが出来るのだろうか。

萎(しお)れかかった若菜の芽が慈雨に触れて命が蘇ったように、咲紀の肉体に新しい息吹が生まれた。

咲紀は布団からそっと抜け出し窓から外を覗いた。東の空が明るくなっている。

宿から一人抜け出すと、咲紀は初めて山の方を目指して歩き始めた。あれほど迷い追い立てられていた不安が消えていた。

何もかもが新鮮に感じられた。

村の坂道をゆっくり上って丘の上に出ると露地栽培されたマーガレットの花畑がある。その端に立って村の方を見下ろすと左右の岬の間に広がる海と空が朝焼けに染まっている。

なんと美しく爽やかな夜明けだろう。

やがて岬の上に太陽が登り、温かい光を放射し始めた。

咲紀は太陽に向かってヨガの行者のように座り目を閉じた。次第に太陽の光が躰いっぱい満ちて、心と肉体が自然に溶け込んでいくのが感じられる。澄み切った空気に乗って遠い潮騒の音が聴こえてくる。朝が来たよ、と喜びさえずる鳥たちの歓喜の歌声が聴こえてくる。草や木々の息づかいまでが見えてくる。

咲紀はゆっくり立ち上がると着ているものすべてを脱ぎ、一糸まとわぬ裸身となって太陽を抱いた。全身の細胞が光を受けて生き返っていくのがはっきり分かる。

遙か遠くから『白鳥の湖』の音楽が聴こえてきた。それは永い間忘れていた懐かしいメロディーだった。幼い少女たちの群れが踊り始める。咲紀が小学生の頃習っていたバレエ教室でのレッスン風景だ。脚を痛めて泣く泣く諦めざるを得なかったバレエ。目を閉じたまま、レッスンをしていた頃の少女に戻った。あれほど難しかった片脚で立ち、一方の脚を後ろに上げるアラベスク、くるくると舞うグラン・フェッテが楽にできる。咲紀はマーガレットの花畑を背景に鳥の羽のように優雅にバレエを踊り続けた。

太陽が昇りきって咲紀は村へ向かって坂道を下ってきた。ビニールハウスが幾つも並んでいる。そのハウスの奥から野菜籠を手にした婦人が出てきた。

「お早うございます！」

「おはようさん。お早いね、お散歩かね」

「はい」

「ひとつ食べて見ないかね。もぎたてで美味しいよ」

「ありがとう！」

咲紀は真っ赤なトマトをひとつ貰うと齧り付いた。美味しい！　甘い果汁が全身に染み渡っていく。こんなに新鮮なトマトを食べたのは生まれて初めてだった。更に下っていくと土手で三匹の子猫が無邪気に戯れていた。

――生きている！

咲紀は飛んだり跳ねたり絡まったり転がったりする子猫の姿を見ながら、身体の奥から何か湧き上がってくるものを感じた。

――あなた幸せですか？　ええ、とっても幸せよ。そう、それはいいわね。でも、これから何をしようというの？　……分からないわ。それでいいの？　……いいんだわ。明日のことなど誰も分かりはしないのだから。それもそうね。でも明日への期待がなくなったら、いつか不安がやって来るに違いないわ。いいのよ。わたしは生きることに決めたのだから。生きてこの幸せを守り通すことにしたのだから……。

咲紀が宿へ戻ると亮介は何かに取り憑かれたようにテーブルに向かっていた。咲紀にも気づかない。咲紀はまた外へ出た。山から下って来るとき、村の谷間に並んだビニールハウスが気になっていた。改めて坂を上りハウスの一つを覗いてみた。

子供の背丈程はありそうな緑と白いマーガレットの花のトンネルが奥まで続いている。入り口近くで七十歳位の老夫婦が手入れをしていた。

「こんにちは」

「あら、こんにちは」

「お邪魔していい？」

「どうぞ、どうぞ……マーガレットの花がお好きかね」

「ええ、清純な感じが好きです」

「そうですか。どちらから見えたの？」

「東京です」

「まぁそうですか。やっぱり東京の人は垢抜けしている」

「……いま何しているんですか？」

「消毒ですよ。気を付けて面倒を見ないと虫が付くのよ」

「ムシ？」

「アブラムシとかハダニとか……都会の人は見たことないでしょう。美しい花にはムシがいっぱい付くんですよ……」

夫人は手を動かしながら明るく笑った。

「孫たちも東京に行ってるけど女の子は心配だ。都会は悪い虫がいっぱいいるからね。あなたは若くて綺麗だからムシがいっぱい寄ってくるでしょう」

夫人は陽気に言ってまた笑った。咲紀はその明るさに何だか嬉しくなった。

「おばさまも若い頃はお綺麗でもてたでしょう？」

「まぁ、おばさまだなんて、お若いのにあなたもお世辞が上手ですね。そりゃわたしだって元お嬢様ですからね、ムシがいっぱい付いて困ったもんでした。最後に付いたムシがねぇ、ほらあそこに大きなのが居るでしょう」

夫人は離れたところで作業をしているご主人に目をやり笑った。

「マーガレットは今が最盛期なの？」

「一番忙しいのはお彼岸前まででね、三月、四月は卒業式やいろいろと祝い事が多いでしょう。最近はハウス栽培が多くなったんで南伊豆は早いです。五月頃まで採れる地域もあるけどね」

「いつ頃種を蒔くの？」

「種じゃなくて、天目と言って、ほらこの一番上の芽、これを一本一本土に差していくの」

「あら、種だと想っていたわ」

「大変なのは根付いて新しい芽が出る頃で、特にアブラムシがつきやすいので消毒が大変なの。それに小さいうちはミストと言って霧状の水をまんべんなくやるんだけど、大きく育ったら、今度は一株ごとに水くれをやんなきゃなんない」

「水くれ？」

「水をやるんです」

「一株一株だと大変ですね」

「そうです。寒さにも弱いのでね。春先なんか西風が吹いているうちはいいんだけどね、海が凪いでくると大変です」

「あら、どうしてなの？」

「海が凪いでくると急に冷え込むんですよ。そんなときは夜中でも手探りしながらストーブを運んで暖めるんです。良く面倒見ないと直ぐに駄目になってしまうのでね」

「大変なんですね」

そこへご主人の声が飛んできた。

「美春！　どうだ、終わったか！」

「はいよー！　あと少し！」
五、六メートルくらい離れた隣の畝で作業していたご主人と目が合って、咲紀はピョコンと会釈をした。
「手伝いに来てくれたんか」

咲紀が返事に困っていると、

「何言ってる、東京からだって！」

「東京！　猫も杓子も東京、東京って、東京はそんなにいいところかね」

「いいところですよね」

と夫人が咲紀をかばう。

「あんた暇だろう。こっち来て手伝わんか！」

「……はーい！」

咲紀はご主人の勢いに呑まれて返事をしてしまった。

「あの人は見境ないからね。無理せんで下さい」

ご主人はハウスの奥まで行くと手際よく花を切って咲紀に手渡し始めた。

「その格好じゃ、畑仕事には似合わんな。ま、いい、そこの手押し車に積んでくれ」

「ハイ！」

何だか嬉しかった。一輪の手押し車は直ぐにいっぱいになった。

「あっちの入り口ん所まで運んどいてくれ」

咲紀が車を引こうとすると、

「だめだ。こうやって押していくんだ。バランスを取らねぇとひっくり返るぞ！」

主人は咲紀の隣で一緒になって押した。

「このまま市場に持っていくんですか？」

「そんなことしていたら日が暮れてしまうよ。収穫が済んだら、水切りをするんだ」

「水切りって？」

「一晩水につけてたっぷり水を吸わせてから出荷するんだ」

「へぇ」

「へぇって、あんただって水が切れたら、肌もカサカサになって男も寄ってこないだろう。マーガレットだって水も滴る女にして送り出さなきゃ誰も振り向いちゃくんねぇ」

二人は花束を降ろすとまた奥へ向かった。

「今度は、ばあさんを手伝ってやってくれ」

「ハイ！」

夫人は笑っていた。

「うちのひと、本当に人使いが荒いでしょう。初めての人でもずっと昔から知っているみたいだからね」

「収穫した花、いつ市場へ運ぶんですか？」

「水切りをしたあと、朝から直ぐに梱包して集積所に持って行くと、九時半に農協の車が運びに来るの」

「……明日また来ていい？」

「いいですよ。いつでもいらっしゃい。来たら注意しないとこき使われますよ」

「いいわ。ありがとう。またね」

咲紀は夫人が切ってくれた四、五本の花を手に外へ出た。

咲紀が長い坂を下ってくると石垣の陰に三十絡みの男が立っていた。何食わぬ顔をして近づいて来る。

「キレイですね。いや花でなくてあなたのことですよ」

咲紀が軽く会釈をして通り過ぎようとすると並んで歩き始めた。

咲紀は、これは相当悪い方のムシだな、と思った。

「村の人じゃ……ない、ですよね」

「？……」

「東京からですか？」

「……」

「いやぁ済みません。こんな田舎にも可愛い人がいるもんだなと思ったんで。……僕は初めてここへ来たんだけど……東京と違って長閑で良いいなぁ。……あなたはこんな所が好きなんですか。……お一人で？」

「いいえ」

「そうでしょうね。一人じゃ寂しいですよね。いつ頃からここに？」

「ずーっと前からです」

「そんなに長く。……何処に泊まっているの？　民宿？　それとも親戚とか？」

「ええまぁ……急いでいるので」

咲紀が歩を早めると男はしつこく追ってくる。

「ちょ、ちょっと待って！　もう少し話を聞かせてくれないかな。怪しい者じゃないんだ」

「十分に怪しいわ」

男はそれ以上迫ってくることはなかったが、咲紀は宿を知られるのを避けるために港まで降りてから戻った。

亮介は目が覚めるなり憑かれたようにテーブルに向かった。一筋の光が心の闇に差し始めていた。これまで思い悩んでいた物語の結末が、恰もカメラのピントが合うようにはっきり見えてきた。一日中ほとんど脇目も振らずに書き続けた。夕方近くになってやっとテーブルを離れ、窓から外を眺めた。岬の方に向かう坂道を一台のパトカーが走っていくのが見えた。

亮介はその日の夕食時、若奥さんに声を掛けた。

「何かあったんですか、パトカーが来ていたみたいですが」

「あぁ、なんでもないですよ。近くで何か事件があったりすると宿帳を見に来たりすることがあるんですよ。こんな小さな村でもいろいろな人がやって来ますからね」

咲紀は不安を覚えたが、ノートには妻・咲紀と書いたので心配ないだろうと思った。

《四月二十三日・土曜日》 捜索願

　翌朝、咲紀が目覚めると、亮介は徹夜したのかテーブルに俯せったまま眠っていた。肩越しにそっと覗くと〈終わり〉の文字が見えた。あれほど苦しんでいた執筆がやっと終わったのだ。咲紀は自分のことのように嬉しさが込み上げ、抱きつきたくなったが、あまりにも気持ちよさそうに眠っている亮介の寝顔を見て、そっと毛布を肩に掛けると足音を忍ばせて外へ出た。

　咲紀は農協の車が花の集荷にやって来るという九時半を目指してハウスへ行った。夫人とご主人が花を梱包した段ボール箱を車に運んでいるところだった。

「お早うございます」

「お早うさんです。本当に見えたのね」

「お手伝いします」

「じゃこれを車へ運んでくれますか」

　咲紀は夫人からいきなり箱を渡されてよろめいた。

「見た目より重いでしょう」

　夫人は愉快そうに笑った。

「それじゃ嫁には来れんな。ちゃんと飯食ってきたのかね！」

トラックの荷台で箱を受け取っていたご主人がからかう。積み込みはあっという間に終わり、トラックは忙しそうに走っていった。

「お疲れさんでした。……さ、お茶でも飲みましょう」

「……今日はこれでお終いですか」

「なんのなんの、これからですよ。明日の分の切り出しをして、それから一株一株水くれをして、草を取ったり、手入れをしたり。……昨日と同じ、明日も同じ、あさってもね」

ご主人が煙草を吸いながら話しかけてきた。

「あんた、彼氏いないの」

「やぁねぇおとうさん、いない訳ないでしょう、若くてこんな綺麗な人」

「居るのがこんな田舎でうろうろしている訳がなかろう」

咲紀は笑って濁した。

「おじさまとおばさま、恋愛結婚?」

「わたしらの若い頃はそんなロマンチックことなんてないですよ。さらわれてきたの」

「え、さらわれて?」

「そんなに驚かんでええですよ。この人と出会って連れてこられたのよ」

「この村の生まれじゃないの?」

「ここからちょっと西へ行ったところに岩地と言う村があるんだけど、盆踊りの晩に出会ったの」

「おばさまがおじさまを好きになったの？」

「そらそうだ」

ご主人が自信たっぷりに言う。

「何を言うかね。毎日追いかけ回されて、疲れたところでこの村へさらわれて来たの。それ以来伊浜の箱入り娘で何処へも行ったことがない」

「でも……新婚旅行には行ったんでしょう」

「二泊三日で京都から奈良へ。まるで修学旅行でしょう」

夫人は懐かしそうに言って笑った。

「もう五十年も前のことだからね。よく続いたもんだ。マーガレットも始めて三十年にはなるか」

「そうだね。ハウス栽培を始めて間がないけど、以前は露地栽培だったから、波勝崎へ行く途中の段々畑まで、背負子(しょいこ)を担いで……背負子って分かりますか」

「背中に籠が付いたやつだ」

ご主人が引き取って担ぐまねをした。

「今でも段々畑は残っているけど、今じゃ半分は荒れたままだ」

「行ってきましたよ」

「そうか。あそこからマーガレットを山ほど背負子に入れて往復したものよ」

「そうだな、当時はまだポンポン船で港から隣の子浦まで運んでいた」

「船で？　海が荒れたりするとどうするの」

「そりゃぁ背負子を担いで四キロの山道を歩いて運ぶんだ」

「たいへん！」

「その頃に比べたら今は楽ですよ。いろいろ苦労もあったけど……子供にも恵まれたし、みんな元気に育って何も言う事はないです」

「子供は大きくなったらみんな出て行ってしまう。残るのは年寄りばかりで、わしらが死んだらマーガレットもお終いだろう」

ご主人が寂しそうに言う。

「仕方ないよ。子供には子供の人生があるんだから……」

老夫婦は沈んだ思いを立て直すようによっこらしょと腰を上げた。


亮介が目覚めたのは正午を過ぎた頃だった。

原稿用紙を片づけ、外へ出た。空は青く海も青さを映して穏やかだ。何十年もの長い間背負っていた肩の荷を下ろしたように、スッキリと身体も軽く、爽やかな気持ちだった。

やっと京子との約束を果たすことが出来た。だが、まだこれからやらねばならないことが残っている。天草へ帰って両親の墓に詣り、京子と娘の骨も納めよう。そして自分が生きてきた道程で、散々お世話になった友人、知人にも一人ひとり逢って礼を言っておきたい。やりたいことはまだまだ山ほどあるが、与えられた時間はもう少ししか残っていないのだ。

亮介は遠い空を見上げた。


ハウスの中は少し暑いくらいまで温度が上がってきた。

「これから何をするんですか？」

「お手入れをね。……やってみますか」

「ええ、教えて下さい。何をすればいいの」

夫人はハサミで枯れかかった茎や咲き過ぎた花を切り始めた。

「あら、花を切っちゃうんですか？」

「花は咲き終わると実をつけるでしょう。その分余計に栄養を摂ってしまうのでね。……余分な花や葉を切ると新しい蕾が次々と出てくるの。ほら、下の方にいっぱいあるでしょう」

「不思議ですね」

「花だって命を絶やしたくないからね。切られると負けるもんかって、頑張って新しい芽を出そうとするのよ」

咲紀はしげしげと花を見詰めた。葉と幹の脇から細い茎が真っ直ぐ伸びて、その先に小さな蕾がちょこんと乗っている。ベロを出すように白い花びらが覗いている蕾もある。

――なんて可愛いの……。

じっと見詰めているうちに咲紀はなんだか愛おしくなってきた。

「……ほら、この小さいの、これは赤ん坊、開き掛けているのが小学生。こっちは大学生ってところかな。すっかり開ききっているこれなんか、差詰めうちの人みたいにじいさんだね」

近くに居たご主人が口を挟んだ。

「その隣はくたびれた婆さんだ」

「おばさま、幸せ？」

「幸せ？　そんなこと考えた事もないね。どうですかじいさま」

「わしはお前が側に居るだけで幸せだ」

「歯の浮くようなこと言って！」夫人がワハハッと幸せそうに笑い、

「お前こそ大口開けて入れ歯落すんじゃないぞ」とご主人が返す。

咲紀は二人のやりとりが嬉しくて、自分も幸せになっていくのを感じた。

「私たちは都会の人と違って何も知らないけど、毎日何ごともなくこうやってマーガレットの世話が出来るのが一番の幸せじゃないのかな。この畑のマーガレットは私らの子供みたいなもんですよ。みんな可愛い」

夫人はさり気なく言い、咲き過ぎた花を切って咲紀の髪に差してくれた。

「あなたは白いマーガレットの花がよく似合う。とてもキレイですよ」

咲紀は涙が出るほど嬉しくなった。しばらく手伝ったあと、今日もまたお礼にと夫人が特別に切り出してくれたマーガレットの花束を抱いて外へ出た。

坂を下りながら咲紀は生まれ変わったような気がして青空を見上げて大きく深呼吸をした。その時だった。

「咲紀ちゃん！」と言う声がした。

振り返ると路地の端に祖母が震えるようにして立っていた。近くに昨日言い寄ってきた男も居る。

咲紀の顔から血の気が引いた。

「咲紀ちゃん！……どんなに心配したか……捜して捜して、捜し回ったのよ！……」

咲紀は体が硬直して身動きがとれないまま立ちつくした。

「あなたはこんなところで何をしているの！わたしに黙って居なくなるなんて、なぜ連絡してくれないの！あなたは私のたった一人の肉親なのよ。分かっているの。あなたは私の血の繋がったたった一人の孫なのよ！……さ、東京に帰りましょう！」

祖母は叫ぶように言って咲紀の手を掴んだ。咲紀は激しく振り払った。

「私はおばあちゃんの子供じゃない！わたしは自分で生きていくの！」

「なんてことを！あなたはまだ子供なのよ！おばあちゃんはあなたの面倒を見る責任があるんです！」

「そうです。あなたはまだ未成年者です。保護者が必要なんです」

男は事務的な口調で咲紀を促した。

咲紀は丁度散歩に出てきた亮介を見つけて走った。

「おじさまーっ！」

男が咲紀を追いつめ腕を捕まえた。

亮介が男の手を振り払った。

「何をするんだ！　君は何者なんだ！」

「あんたこそ誰なんだ！　あの人はこの娘のおばあさんなんだぞ！」

亮介は立ちすくんでいる祖母に気が付き、軽く頭を下げた。

「その人は私が頼んだ探偵社の方です。やっと孫を捜して下さったのです。……さぁ、咲紀ちゃん、おばあちゃんと一緒に帰りましょう」

祖母はよろけるように咲紀に近づき手を取った。

咲紀はその手を振り解き、亮介に縋った。

「帰りません！　私はここでやりたいことがあるの！」

「やりたいこと？　やりたいことって何ですか！」

「花を育てているの」

「はな？　何を言っているの！　家出して、おばあちゃんに心配掛けて、こんなところで花ですって！」

「そうよ、花を育てたいの！」

咲紀は思わず口走って、そうだ東京へ戻ったら花屋さんをやろうと思った。

「だからもうわたしのことを構わないで！　おばあちゃんはもう他人なの！」

「他人ですって！」

よろめき倒れそうになった祖母を男が支えた。

「あなたは私が育てた康夫の子供よ。康夫が残したたった一人の血の繋がった肉親なのよ！」

「いいえ、お父さんが亡くなったとき、あなたは私のおばあちゃんではなくなった！」

「そんな酷いことを……あなたは自分の年を考えたことがあるの。まだ十八歳なのよ。あなたは……」

祖母はよろよろと崩れ落ち、亮介を見た。

「あなたは一体誰なの。この子はそんなに強い子ではないわ。あなたがこの子を拐かしたんでしょう！」

亮介に縋っていた咲紀が叫んだ。

「違う！　ここへはわたしが一人で来たの」

「子供のあなたがそんなことが出来るものですか。あなたは騙されているんだわ！　そこに居る男に！」

「ちがう！　この人はわたしを助けてくれたの！」

咲紀が絶叫する。

男が祖母を庇うようにして言った。

「お互いに少し落ち着いてお話しませんか。お二人の間柄がどうあろうと、娘さんは家出人なんです。

捜索願も出されています。ですからここは一つ娘さんに東京へ帰るよう説得して頂けませんか。お願いします」

そう言われて亮介は咲紀を見詰めた。

「わたしは帰らない！」

咲紀はきっぱりと言った。

「……聞かれたでしょう」

「あなたは反対するんですか」

「そんなつもりはありません。ただ娘さんの意志を尊重すべきではないかと言うことです」

「邪魔をするということですね。いいですか、よく考えてから言って下さい。この娘さんはまだ未成年者です。先程も言いましたがおばあさんから捜索願いも出されているんです。あまり関わりになると未成年者誘拐罪を問われる事にもなります。立派な犯罪です！」

男は咲紀の手を掴んで無理矢理連れて行こうとした。

「おじさま！　助けて！」

「やめないか！」

「邪魔をしないで下さい！」

「本人が嫌だと言っているだろう！」

亮介が手を強く振り払った勢いで、男は地面にもんどり打って倒れた。男は起き上がると埃を払い、震えて立ち尽くしている祖母に言った。

「娘さんがお元気なことは分かったんですから、今日の所は引き揚げませんか」

祖母は諦めがつかないように咲紀を見ていたが、男に抱きかかえられるようにして去って行った。

その夜、二人は、村から出ることを決めた。

また祖母たちはやって来るだろう。追われる前にこちらから行動を起こすのだ。何よりもこんな不自然な生活が何時までも続いて良い訳がない。いや、続けてはいけないのだ。自分のことより、まだ若い咲紀には幸せな道を切り拓いてやりたい。二人で東京へ戻って新しい道を探すのだ。咲紀は大学へ、自分も続く限り演出家としてもう一度命をかけてみるのも良い。亮介は視線を虚空に泳がせながらそんなことを思った。

昼間の出来事によほど不安を覚えたのか、咲紀は亮介と一緒ならと、東京へ帰ることを了承した。

《四月二十四日・日曜日》 逃避行

波勝崎の岬に朝日が差す頃、二人は宿を出た。

人目につかないように、港でバスに乗るのを避けて、国道のバス停まで歩くことにした。南伊豆の四月の陽気は長い山道を上がるには少し暑すぎる。二人は途中で息をついた。

空を見上げると青い空に白い雲が浮かんでいる。これからしばらくこの空と海を見ることもないだろう。先を行く亮介の手を咲紀が握った。春の陽を浴びて、一面に咲くマーガレットの花が首を振りながら合唱している。

あと一息だ。そう思って亮介が国道を見上げたとき、激しい咳が喉を突いた。バスのエンジン音が近づいている。

「急いで!」亮介は咲紀の手を振り切って最後の山道を駆け上った。だが、バスはエンジンを噴かして動き出した後だった。

――八時三十五分、あのバスに乗りたかった。あと三十秒早ければバスを止めることが出来たのに。

時計の針を甘く見た。否、途中で一息入れたのがいけなかった。亮介は遠ざかるバスの後ろ姿を見送りながら残念がった。

消えかかったバス停の時刻表を見ると次のバスまで四十分余りある。二人は目立つのを避けるために国道下のマーガレット畑の隅に座った。

「そんなに急ぐこともないわ。本当の人生はこれから……でしょう、おじさま」

咲紀は亮介を慰めるように言ってマーガレットを一輪摘み、花占いを始めた。

「好き、嫌い。……好き、嫌いじゃない。……好き、少し好き。……好き、本当に好き」

「ほらまたインチキ占いだ」

亮介に笑われて咲紀は真顔になり、もう一輪マーガレットを摘んで亮介に持たせた。

「じゃ、本気でやるわ」

そう言って自分の手を添えた。

「……愛している、愛してない。……愛してる、愛してない。……」

抜いた細い花びらが風に舞っていく。咲紀が五枚目の花びらに手をかけた時、頭上で車の止まる音がした。

バスの音ではない。

亮介が不審に思って目をやると一台のパトカーが止まり、警察官に誘導されて男と女性が降りてくるのが見えた。つられるように視線を送った咲紀が「おばあちゃんだわ！」と怯えるように言った。

二人は反射的に腰を上げ花畑を下へ逃げようとした。が、坂下からも二人の警官が上ってくるのが見えた。亮介と咲紀は手を繋いだまま、急な斜面に広がるマーガレットの段々畑を西の方へと逃げた。

日が傾いた頃、二人は波勝崎の岬に辿り着き、崖上の花畑にある作業小屋に潜り込んだ。小屋に入って亮介は激しく咳き込んだ。

「おじさま大丈夫？」

「大丈夫だ」

沈黙がしばらく続いた。

息を整え、亮介がやっと口を開いた。

「僕たちは一体何を犯したんだ。これじゃまるで犯人と同じだ」

「……」

「僕たちは何も悪いことはしていない。逃げる必要なんかないんだ」

「でも……捕まえに来ている！　捕まったらおじさまは誘拐犯にされてしまう！」

「大丈夫だよ。もし僕が捕まったとしても、君が自分の意志で僕と一緒に居たと言ってくれれば、罪に問われることはない」

「信じてくれるものですか。誰も信じてなんかくれやしない」

「もし僕が罪に問われることがあったとしても、少なくとも君は何も犯してはいない。君はおばあさんの所へ戻りなさい。おばあさんの所に戻ってもう一度やり直すがいい。まだ若いんだし君の将来はこれからなんだ」

「いや！　わたしはおじさまと一緒にいる！　一緒に生きていたい」

亮介がまた抑えていたものを吐き出すように咳をした。苦しそうに喘ぎながらバッグの中から薬を取りだして一気に飲んだ。

「おじさま、やっぱり病気なのね。ね、どこが悪いの」

風が不安を煽(あお)るようにザワザワと音を立てて畑を走って行った。

＊　　＊　　＊

妻と娘を失って間もなくだった。生きる気力さえもなくしていた亮介に追い打ちをかけるように病魔が襲った。肺に癌の影が見つかった。亮介は放射線治療も手術も断った。医者は余命一年位だと言った。このことだけは咲紀には知られたくなかった。だが、亮介は覚悟を決めて口を開いた。

「……あと一年生きられるかどうか分からない」

「え！」

「……ガンなんだ。……」

「ガン！　うそ！　嘘でしょう。おじさま、私が言うことを聞かないから嘘ついているんでしょう！　ね、そうでしょう！」

「嘘じゃない。下田に行っていたのもその為だ。来年の春、マーガレットの花が咲く頃まで持つかどうか分からない」

「そんなの嫌だ！　死んじゃうなんて嘘！　おじさま、こんなに元気じゃない！」

「今すぐ死ぬ訳じゃない。……だから君とこうして最後の青春を一生懸命に生きている」

「なんでも言うことを聞くから嘘と言って！」

「……一緒に居ても別れなければならない時が来る。なら僕がまだ元気な今の方が良い」

「そんな悲しいことを言わないで！　私はずっとおじさまの側に居たいのに！」

「君は新しい人生を始めるんだ。僕の分も合わせて、しっかり生きて欲しい。生きる事さえ許されない人も居るということを忘れないで。……何時か話しただろう。人は生きたくても生きるために生まれてくるんだって。……ほら、吉佐美のバス停を思い出して。君は東京へ帰るって僕と指切りをしたはずだ。……」

咲紀は激しく肩を振るわせ泣きじゃくり、やがて泣き疲れた子供のように黙ってしまった。

二人は作業小屋で抱き合うようにして夜を迎えた。

「おじさま、寒い」

亮介は黙って咲紀を抱き寄せた。

四月の夜はまだ春になるのを迷っている。咲紀は押し寄せた神経の嵐に疲れ果てたのか亮介の胸の中でうとうととし始めた。が、それも束の間「お父さん！　お父さん！」と叫んで目を覚まし泣きじゃくった。

「どうした？　夢でも見たのかい？」

二度と開けないつもりで鍵を掛けていた記憶の扉が、咲紀の心の中で音をたてて開いた。

咲紀は嗚咽しながら話し始めた。

「お父さんを見つけたのはわたしなの！　お父さんが……お父さんが宙に浮いていた。……訳も判らず、お父さん、降りてきてって叫んでいたわ」

＊　＊　＊

会社が倒産し一人残された父の元に債権者が押しかけた。全ての財産が裁判所に差し押さえられた後、父の姿が見えなくなった。祖母は気の弱い父の自殺を心配し狂ったように捜し回った。咲紀に出来る事と言えば、父が可愛がっていた愛犬のモモと一緒に近所を捜すことくらいだった。五階建ての本社ビルの裏にあった資材倉庫の前を通ったとき、モモが建物の中に走り込んだ。後を追った咲紀は薄暗い倉庫の隅で、洩れ陽の中に浮かんでいる人影を発見した。首を吊った父の姿だった。

＊　＊　＊

亮介は慰める言葉もなくただ抱きしめるだけだった。

咲紀は堰を切ったように話し続けた。

「わたしね、弟が欲しかったの。……小学三年生の時に待ちに待った弟が生まれたわ。もう嬉しくって嬉しくって……学校から帰ると赤ちゃんの側に何時もいたわ。目がくりっとしてまるでお人形さんみたいに可愛かった」

亮介は黙って咲紀を抱きしめた。

「でもわたしが抱こうとすると決まって『お人形さんじゃないんだから！』っておばあちゃんは、わたしを叱って取り上げたわ。……お母さんも、おばあちゃんも、可愛い可愛いって何時も抱きしめているのに……わたしは抱きしめて貰えなくなったの。それでね、わたしはお母さんもおばあちゃんも嫌いになって……いつの間にか弟まで憎らしく思うようになった」

咲紀はそこまで話して身体を震わせた。

「それでね。……あるとき、わたしは眠っている弟の顔にクマの縫いぐるみを押しつけたの」

「……」

「大騒ぎになったわ。それから二年後、わたしの所為じゃないけど、弟は風邪をこじらせ肺炎で亡くなってしまった。跡継ぎの弟が亡くなっておばあちゃんやお母さん、もちろんお父さんの落胆振りは大きかったわ。……それからおばあちゃんの気持ちは、良くも悪くもわたしに向けられるようになっていったの」

「……」

「……お父さんだけはどんな時もわたしの味方だった。おばあちゃんの目を盗んでモモを連れて会社へ行くと、何時もわたしを抱きしめてくれた。……高校生になって色んなことが分かってきたわ。わたしを生んでくれたお母さんがいたこと。お母さんと思っていたのが育ての親で、おばあちゃんはおじいちゃんが築き揚げた会社をお父さんに継がせ、弟が死んだので今度はわたしに継がせようと思っていたこと。……わたしの気持ちなんかどうでも良かったのよ。総てがおかしな方へ進んでいった」

咲紀は語り終えるとほっとしたのか、亮介から離れて立ち上がり決心したように言った。

「おじさま、これからのこと花占いで決めましょう。『おじさま』と『わたし』。……『おじさま』で終わったら、わたしはおじさまの言う通りにするわ。でも『わたし』で終わったら、おじさまがわたしの言う通りにするのよ」

「……うん、分かった」

「約束を守ってね」

二人は月の光が降り注ぐ外へ出た。白いマーガレットの花が揺れている。咲紀が花を一輪採り、亮介に持たせ自分の手を添えた。

「始めるわ」

咲紀は花びらに手を掛け、声を出して抜き始めた。

「おじさま、わたし。……おじさま、わたし。……おじさま、わたし。……」

月の光を受けて、咲紀の指から離れた花びらが白く空に舞う。

最後に残ったのは『おじさま』だった。

咲紀は残った花びらに指をかけたまま黙って俯き動かなかった。涙が落ちた。

「……おじさまの言う通りにするわ。……」

咲紀は暫くの間、亮介の胸に顔を埋めていたが、急に体を離して言った。

「ねぇ、おじさま、最後にまた大人の踊りを教えて」

亮介は黙って咲紀の手を取った。

崖上の広い夜空に冷たく星が輝いている。

一つの星がヴァイオリンに姿を変えた。別の星がチェロに、コントラバスに、フルートに、オーボエに……大空いっぱいに浮かび上がったオーケストラが美しい旋律を奏で、ゆるやかな音の波となって二人を包み込んでいった。共鳴するように揺れながら合唱するマーガレットの花の絨毯(じゅうたん)を舞台に、二人は黙って見つめ合い踊り続けた。

やがてステップを踏む二人の足がゆっくりと地面を離れた。月の光を浴び、オーケストラの響きに包まれながら二人は踊り続けた。

《四月二十五日・月曜日》　白花の幻想

今日も太陽は何ごともなかったように東の空に姿を見せ、ゆっくりと時を刻み始めた。白いマーガレットの花が爽やかな風を受けて揺れている。

完全に日が昇った頃、二人は太陽に誘われるように小屋を出た。

「咲紀ちゃーん！」遠くではっきりした祖母の声がした。

亮介は咲紀を抱いたままゆっくりと視線を移した。

峠の国道から降りてくる数人の警察官と探偵の男の姿が見えた。

「おじさま、早く逃げて！」

亮介は動かなかった。

警察官は逃げないと確信したのかゆっくり近づいて来る。

「お判りですね。未成年者誘拐容疑です。下田署まで任意ご同行願います」

亮介は黙って警察官に従い歩きだした。

その時、咲紀が花畑の中を崖に向かって走った。

瞬間、辺り一面に咲き誇っていたマーガレットの花びらが一斉に弾け飛んだ。

「咲紀ーっ！」亮介が絶叫して後を追った。

亮介の後を慌てて警官が追った。

その後を祖母がよろめきながら追った。

咲紀が両手を広げて崖から跳んだ。

朝日の中で花びらに包まれた咲紀の身体がふわりと浮いた。

亮介が咲紀の後を追って崖から跳んだ。

不気味な海鳴りの音がして大地が揺れ、亮介の身体が浮いた。海から吹き上がる風に乗り、白いマーガレットの花びらがクルクルと舞いながら、真っ青な空へ向かって二人を押し上げていく。

これまで経験をしたことのない激しい地震に、驚いて飛び出した村人たちは、崩れ落ちた岬の崖の上に、澄み切った青空高く舞い上がる白いマーガレットの花びらの雲を呆然と眺め続けた。